MEMORIA de la HISTORIA

Episodios

Memoria de la Historia pretende
ofrecer a los lectores la Historia contada por
quienes la hicieron, por los mismos personajes que
en vez de figurar en las páginas de los libros como
objeto pasivo, adquieren voz y nos cuentan su vida
y su peripecia en primera persona. La Historia
como una novela personal, autobiográfica, en la
que todo lo que aparece en estas páginas es
verdad, con hechos ciertos y comprobados, pero
que se presentan con la inmediatez y el
dramatismo que da al relato la voz del
protagonista, supuesto historiador de sí mismo
gracias a la pluma de unos escritores que
consiguen el difícil y apasionante equilibrio entre
los materiales de la crónica, tratados con el
máximo respeto, y el enfoque que corresponde a la
más amena de las narraciones novelescas. Otra
vertiente de estas semblanzas es la evocación de
episodios del pasado con todo el rigor que exige el
trabajo del historiador y la amenidad de la novela.
   Éste es el objetivo de una colección que
aspira a fundir lo más atractivo que pueden
ofrecer la historia y la literatura.

La vida cotidiana
en el Siglo de Oro español

Néstor Luján

La vida cotidiana en el Siglo de Oro español

Planeta

COLECCIÓN MEMORIA DE LA HISTORIA
Dirección: Rafael Borràs Betriu
Consejo de Redacción: María Teresa Arbó, Antonio Padilla,
 Marcel Plans y Carlos Pujol

© Néstor Luján, 1988
Editorial Planeta, S. A., Córcega, 273-277, 08008
 Barcelona (España)
Ilustración al cuidado de Antonio Padilla
Diseño colección y cubierta de Hans Romberg
 (realización de Francesc Sala)
Ilustraciones cubierta: fragmentos de «El bufón don
 Sebastián de Morra», de Velázquez (Museo del
 Prado, Madrid), y de «Viajes de la emperatriz», de
 J. Van der Baker (Museo de las Descalzas Reales,
 Madrid; foto Oronoz)

Procedencia de las ilustraciones: Archivo Editorial
 Planeta

Primera edición: octubre de 1988
Depósito legal: B. 36.847-1988
ISBN 84-320-4497-0
Printed in Spain - Impreso en España
Talleres Gráficos «Duplex, S. A.», Ciudad de
 Asunción, 26-D, 08030 Barcelona

Índice

INTRODUCCIÓN

El presente libro trata de la vida cotidiana en un momento importantísimo de España, trascendental para la configuración de lo que ha sido y está siendo nuestro país. Es un instante realmente único, por cuanto se enfrentan, a veces de una manera patente y disimulada, pero en la mayoría de las ocasiones con una problemática clara y angustiada, la formulación de unos problemas gravísimos e insolubles, tanto desde el punto de vista económico como desde el punto de vista cultural. La España del siglo XVII es, a no dudar, uno de los momentos estelares más resplandecientes y más tornasolados de desesperanza de la historia de cualquier pueblo.

Y no podía ser menos: al lado de la quiebra económica del imperio español, que durante el siglo XVII se irá agravando hasta la crisis final, está su inmenso poderío aparente, el mayor conocido hasta entonces en extensión, ya que Felipe III, y Felipe IV sobremanera, reinan sobre la más inmensa cantidad de territorio que se podía imaginar. Las necesidades económicas de estas majestades, de una rotundidad y una solemnidad únicas, son angustiosas, y en lo que podríamos llamar, con una expresión moderna, la metrópoli, se presentan algunas zonas de insólita miseria. Un campo arruinado, sin brazos, ciudades inmensamente favorecidas, como pueden ser Sevilla y Madrid y en algún momento Valladolid, contrastan con una política exterior presidida por la mayor de las torpezas. Los reyes de la casa de Austria, sus validos, sus inqui-

9

sidores, sus ejércitos gloriosos y mal pagados, son un mundo débil y dramático, incapaz no ya de enfrentar aquel enorme imperio, sino el vivir con una cierta normalidad en sus fronteras peninsulares. Si algo puede subrayarse en este momento histórico es que mientras la eterna rival de la casa de Habsburgo, y directamente de España, la vecina Francia, desarrolla su agricultura, sus instituciones de gobierno, sus proyectos colectivos de mejora material y espiritual, en nuestra península sucede todo lo contrario y, en general, es mucho más pobre la metrópoli que algunos estados que pertenecen a la corona, desde Flandes a Nápoles, e incluso algunos virreinatos americanos.

Esto que planteamos desde un aspecto material —ya que esta vida cotidiana se va a referir a la pequeña historia de cada día, durante muchos años del siglo XVII— se presenta como una muy rara paradoja: tantos problemas, tantos fracasos, tantos desengaños y desesperanzas, corresponden a un momento literario y artístico único. Los últimos años de Cervantes, los de Lope de Vega, Tirso de Molina, Mateo Alemán, Francisco de Quevedo, Luis de Góngora, Baltasar Gracián... y tantos más, prácticamente la mitad de la nómina de los grandes de la literatura castellana de todos los tiempos. Y son los años de Alonso Cano, de Zurbarán, de Murillo y sobremanera de Velázquez. A la vez son unos tiempos que crean una cosa tan extraordinaria, tan inexplicable, insólita, rica, compleja como el teatro español y un fenómeno tan socialmente significativo y tan bien conseguido como es la narración picaresca. Son los años del tornaluz sensual, del misticismo y del escándalo, de unas ciudades dominadas por el vicio nacional que es el juego. Y el campo, «la triste y espaciosa España» del poeta, pasa por las crisis mayores. Por otra parte, también son los años en que la corte de Castilla, convertidos sus reyes en señores de todos los antiguos reinos españoles, fija una capital, por la atracción de todas las miserias, de toda la opulencia ficticia y fastuosa. Y los campesinos escapados de sus campos, de sus ilustres ciudades medievales, rotas y abandonadas inventan la aventura de Sevilla o de Madrid. Se crea, por fin, una capital, una corte estable, con una necesidad de lujo y boato que comporta, como es natural, sensualidad y despilfarro. Todo es extremo, de una profunda e irrenunciable melancolía, incluso en las alegrías de las fiestas cortesanas de las piedades duras y espectaculares o de los regocijos populares.

Explicar la vida cotidiana, el paso de los días de esta época, es la modesta y limitada visión de este libro. Si algo nos rebasa son precisamente los documentos, ya sean literarios, artísticos, protocolarios, judiciales, estrictamente notariales. Por un lado está el inmenso teatro español, las realidades de la novela picaresca, las narraciones amatorias, los sermonarios severos y estremecidos, la literatura hagiográfica, la ascética y la mística, los cronistas castrenses de prosas severas, los tratadistas políticos, graves y reflexivos, los frondosos y sorprendentes arbitristas. Y la pintura, la música, que es harto importante en aquel momento, desde las canciones populares a la música de danza, pasando como es natural por toda la liturgia sacra.

De toda esta inmensa riqueza hemos intentado extraer hechos significativos de la manera más coherente posible. Hubiera sido mucho más difícil si no existieran al lado de la documentación de la época las grandes ediciones críticas de los clásicos castellanos, que dentro y fuera de España van proliferando. Asimismo, algunas obras, a las cuales me he de referir y reconocer que han sido básicas para la redacción de este libro. Ante todo la aportación de José Deleito y Piñuela en sus siete volúmenes sobre la vida española de la época de Felipe IV, que nos colma con una riqueza preciosa, extraordinaria de datos, y además plantea caminos y cuestiones innumerables para los investigadores. Al lado de ello están las de los eruditos del siglo XIX, llenas de buena voluntad y sapiencia, que van desde Julio Monreal a Ricardo Sepúlveda. Y también quisiera subrayar la ayuda que ha sido para los vocabularios que acompañan algunos de los capítulos, la obra de José Luis Alonso Hernández, cuyos dos libros El lenguaje de los maleantes españoles de los siglos XVI y XVII: la germanía (Ediciones Uni-

versidad de Salamanca, 1979) y su monumental Léxico del marginalismo del Siglo de Oro *(1976), han constituido una extraordinaria ayuda para redactar este libro de acercamiento a la realidad palpitante de una época excepcional. Que se centra, como es natural, en la atracción de la capital, que nacía y reunía todos los defectos y cualidades de una época inmortalizada por la literatura, el arte, el ansia vital de cumplir con ideales religiosos y políticos, espirituales y materiales: todo lo que, palpitante de vida, contribuye a entender la vida cotidiana, tan rica y varia del inicio del derrumbamiento material de un imperio.*

Capítulo I

MERCADOS, TABERNAS, POSADAS

Durante todo el siglo XVII Madrid se convierte en la capital gastronómica de España, que hasta entonces había sido la prepotente Sevilla. A ello contribuyó la presencia de la corte, que desarrolló no tan sólo sus banquetes y refinamientos, sino también un protocolo extraordinario —que luego pasaría a la corte de Viena—, la afluencia de forasteros, el crecimiento demográfico, la fascinación de gran capital.

Los mercados de Madrid

Madrid reunía un abasto extraordinario de las principales subsistencias. Méndez Silva, en su libro *Población general de España* editado en Madrid en 1645, nos hace saber que Madrid consumía quinientos mil carneros sacrificados en el Rastro fuera de la villa, que se llamó así porque después de muertos los llevaban arrastrando al lugar donde los desollaban. Se hallaba este público matadero saliendo por la puerta de Toledo; doce mil vacas, sesenta mil cabritos, diez mil terneras, trece mil cerdos. Se consumían al año en Madrid noventa mil arrobas de aceite, ochenta mil de vino, mucha caza y aves domésticas. En 1607 ya no se vendía únicamente en la calle y en las esquinas madrileñas, sino que había empezado a abrirse tiendas estables en los edificios, por disposición de la sala de Alcaldes de Casa y Corte. Igualmente se agrupaban en varios mercados los comestibles: la plaza Mayor era el centro de la venta de todos los comestibles, presidida por el edificio de la Panadería. Luego, la plaza de San Martín, la de la puerta de Santo Domingo y la de la Red de San Luis. Igualmente tuvo su historia de plaza y mercado la llamada plaza de la Cebada, que desde principios de siglo estuvo dedicada a comercio de granos, tocino y legumbres. Por cierto que durante el siglo XVII existió en la plaza una fontana, de chocante aspecto, cuya originalidad residía en cuatro osos que vertían agua sobre cuatro tazas labradas. Alrededor de esta fuente y sus plantígrados se reunía lo más granado de la bellaquería de Madrid.

Los vendedores ambulantes

Todo ello no impidió que prosiguieran los vendedores ambulantes, a pesar de las sucesivas prohibiciones eternamente conculcadas, contempladas con una cierta blandura por las autoridades. Así pues, se vendía por la mañana naranjada y aguardiente en las calles, circulaban las burras de leche y se anunciaban a voz en cuello frutos, mermeladas, confituras y lectuarios. Se montaban los célebres bodegones de puntapié, llamados así porque eran tablas sobrefrágiles, montadas sobre endebles patas de madera o de caña y de un puntapié cualquier valentón acababa con el negocio.

Naranjada y aguardiente

Entre estas ventas ambulantes, queremos insistir sobre la naranjada y aguardiente, que era el desayuno que vendían los voceadores ambulantes a primera hora de la mañana. La naranja amarga, que era la única que se conocía entonces, tenía fama de ser eficaz contra la bilis, que entonces se llamaba «la cólera». Pero la naranjada no significaba, y esto es importante, el zumo de naranja que hoy es corriente, sino la confitura de cortezas de naranjas sumergidas en miel, es decir, lo que se llamó lectuario. La palabra lectuario deriva del vocablo del lenguaje farmacéutico y médico electuario, que era un género de confección medicinal compuesto por productos seleccionados y elegidos. Así pues, para los madrileños del siglo XVII nada era mejor que desayunar con lectuario de naranja para disipar la bilis, acompañado de aguardiente como posible desinfectante. Recordemos, por ejemplo, la célebre letrilla de don Luis de Góngora, titulada *Ande yo caliente*, cuya primera estrofa reza así:

> *Ande yo caliente*
> *y ríase la gente.*
> *Traten otros del gobierno,*
> *del mundo y sus monarquías,*
> *mientras gobiernan mis días*
> *mantequillas y pan tierno,*
> *y en las mañanas de invierno*
> *naranjada y aguardiente*
> *y ríase la gente.*

Esta dieta del desayuno de la naranjada confitada acompañada de aguardiente se vendía en algunas confiterías con licencia especial para hacerlo. Existían puestos especiales distribuidos estratégicamente por la ciudad; en la puerta del Sol, a la entrada de la calle de Alcalá, en la plazuela del Ángel, en la calle del Príncipe y en el tramo de la calle de Toledo a la plaza de la Cebada. Allí pregonaban vendedores ambulantes su mercancía, como bien asevera Lope en su obra *La locura por la honra*, cuando, muy temprano, un amigo mañanero apostrofa a otro:

> *¿Dónde vas, que aún no pregonan*
> *aguardiente y letuario?*

No obstante, hemos de decir que en su temporada también se vendían las naranjas frescas con graciosos pregones. Generalmente, las voceaban las mujeres y algunas mozas, y no de mal parecer ni excesiva modestia. Así lo recoge el entremesista Luis Quiñones de Benavente en su famoso *Baile del alfiler*:

¡A cuatro ya van, a cuatro
naranjitas! Llegan presto
que están todas con azar
del cielo y de sus porteros;
agridulce de Valencia,
manjarcitos de discretos,
lo agrio a ti que las compras,
lo dulce a mí que las vendo;
las ganzúas con que abren
las ganas de los enfermos;
el pláceme del solomo
y el pésame de los huesos.
Ya van a cuatro, a cuatro,
aunque es conciencia
naranja dulce y agria de Valencia.

Hemos de considerar que los vendedores ambulantes eran la sal y la vida de las calles de Madrid, sobre todo a prima mañana. Las mujeres pregonaban, como hemos dicho, naranjas y frutos, peras, cerezas, limas y melones, rosquillas y otras golosinas, y se llegaban a los coches y a los corrillos de hombres y porfiaban tanto que por fuerza parecía inmoral su ansiedad. También había muchachos barquilleros, con tablillas y suplicaciones, que eran canutillos hechos de barquillo. Todo ello lo recoge Lope de Vega en su obra *La moza del cántaro*:

Cosas la Corte sustenta
que no sé cómo es posible.
Que ve tantas diferencias
de personas y de oficios,
vendiendo cosas diversas.
Bolos, bolillos, bizcochos,
turrón, castañas, muñecas,
bocados de mermelada,
letuarios y conservas,
mil figurillas de azúcar,

flores, rosarios, rosetas,
rosquillas y mazapanes,
aguardientes y canela;
calendarios, relaciones,
pronósticos, obras nuevas.

Posadas y mesones

Para el forastero o para el madrileño que quisiera
residir en un público establecimiento había dos clases de albergues: las posadas y los mesones. Ahora
que sólo son ya nombres resulta muy difícil diferen-
ciarlos, porque en el lenguaje popular de hoy indican
todos ellos un hospedaje arcaico, barato, incómodo y
pasado de moda. Pero en el siglo XVII eran cosas muy
distintas. Los albergues eran tristes, ruidosos, con
gente plebeya y estudiantes capigorrones, casi para
pordioseros. Las posadas eran residencias para personas pudientes y en algunos casos incluso para viajeros distinguidos. Por esta razón se daban a conocer
al público con un letrero que decía: «Ésta es una
casa de posadas.»
En cuanto a las posadas, había las públicas y las
secretas. Las más numerosas se daban en las calles
de Silva y Cava Baja de San Francisco. Las posadas
eran las más bien acomodadas y confortables y sólo
paraba en ellas gente de alguna categoría social. En
algunos casos el huésped podía disponer de varias
habitaciones o cuadras, como se decía entonces, viviendo con sus criados y durmiendo cómodas también
sus cabalgaduras. Los mesones, como hemos señalado, eran numerosos, vocingleros, llenos de insegurí-
dad y peligros. La mayoría se abrían también en la
Cava Baja de San Francisco, y de sus pocas virtudes
y muchos defectos ha quedado machacona constancia
en la literatura de la época. Me limitaré a entresacar
de esta literatura los más importantes: el del Caballero, que estaba en la calle del Caballero de Gracia; el
de los Huevos; el mesón de los Paños; el de la Torre-
cilla; el mesón de las Medias o de las Medidas, que
esto no hemos llegado a aclararlo; el de la Herradu-

ra, en la calle de la Montera, próxima a la Red de San Luis; el de San Blas; el de la calle de Atocha y el de la Medialuna, que tomó el nombre de unos moros notables que se hospedaron allí en el año 1656; el mesón del Toro, al que alude Góngora, y el mesón del Peine, que ha llegado a nuestro siglo, en sus últimos tiempos con el nombre de posada.

Hemos de destacar el mesón de Paredes, que ha dado nombre a una calle de Madrid. Porque parece ser que el nombre de «Mesón de Paredes» viene de Simón Miguel Paredes, quien construyó un mesón que era el más espacioso que había en las inmediaciones de Madrid; que el mesón lo heredó con los terrenos colindantes don Juan de Paredes, guarda del rey don Juan II que disfrutó de esta propiedad junto con sus hermanos, don Fernando y don Juan, regidores los tres de la villa, con el estado de caballeros. Pero el mesón de Paredes fue famoso en el reinado de Felipe IV, por cuanto don Tirso de Molina, en su obra *Don Gil de las calzas verdes*, lo cita. Uno de sus personajes, Quintana, dice: «Junto al Mesón de Paredes vivo», como haciendo referencia sobre algo totalmente conocido por todos los madrileños.

Media con limpio

Como hemos señalado, los mesones eran poco seguros, muy sucios, en sus catres pululaban las chinches y las pulgas, las liendres y los piojos. Pero aún había peor: los fementidos y apocados albergues nocturnos, donde la caridad oficial recogía a pordioseros y mendigos de profesión. A estos albergues o mesones ínfimos se dio una expresión enigmática hoy, pero que fue una frase castiza de aquellos tiempos: «Media con limpio.»

El *Diccionario de Autoridades*, aún en 1737, definía esta expresión «media con limpio» de la siguiente manera: «Frase que tiene sólo uso en Madrid originada en que ciertas casillas y barrio de poco comercio dan posada de noche a los vagabundos y pordioseros y en cada cama duermen dos, pagando cada uno dos cuartos y capitulando que el compañero que le diere ha de ser limpio, que no tenga piojos, sarna, tiña ni otra enfermedad contagiosa y por ser media cama y el compañero limpio, nació en decirse a este alojamiento media con limpio.» Quisiera añadir que esta frase, desusada desde el siglo XVIII e incomprensible hoy, está todavía definida, aunque más someramente, en el *Diccionario* de la Real Academia en su última edición de 1984.

«Media con limpio» fue una frase popular y aparece en diversas obras del Siglo de Oro. En la comedia de Rojas Zorrilla *Don Lucas del Cigarral o entre bobos anda el juego* el gracioso Cabellera le dice a su amo don Pedro:

> *A las dos de la noche que ya han dado*
> *de mi media con limpio me has sacado.*

Por cierto que la posada en que Cabellera comparte su cama con la de hombre limpio no es precisamente en Madrid, sino en Illescas. Y hemos de decir que en la edición de la Biblioteca de Autores Españoles —conocida por la edición de clásicos Rivadeneyra—, que cuidó don Ramón Mesonero Romanos, hay una lectura errada de estos versos que todavía los convierte en más incomprensibles, porque dice:

> *A las dos de la noche que ya han dado*
> *de mi medio columpio me ha sacado.*

Figones y bodegones

Eran unos y otros casas de comer, ya que las fondas no se conocieron en Madrid hasta principios del siglo XIX. Como es natural, Rojas Zorrilla, en su comedia *Donde hay agravio no hay celos*, elogia cumplidamente un bodegón en boca de su criado Sancho: «Después de Dios, bodegón.»

Los bodegones se llamaron también expresivamente casa de la gula, y eran innumerables, si hay que creer los textos literarios. Lope de Vega pondera el

Prado madrileño por la excelencia de sus bodegones. Cervantes exalta los de Sevilla, y un autor costumbrista como Francisco Santos pondera la proliferación bodegonera en su obra *Día y noche de Madrid* (1663). Santos, dulzón y moralista, dócil y apocado, representa la liquidación, casi por derribo, de la novela picaresca.

La clientela de los bodegones era copiosa, heterogénea, tragantona y ruidosa. Sorprenderá quizá a los lectores si afirmo que la mitad de la población de la corte, al decir de los documentos, comía por lo menos una vez al año en los bodegones. Pero mayor era todavía su clientela flotante, puesto que en el bodegón podían adquirirse porciones de platos guisados, y en gran cantidad si se encargaba. O sea, que podían improvisarse banquetes y comilonas en las casas particulares. Para Cervantes los había excelentes. «Porque bodegones y casas de estado había cerca, donde sin escrúpulo de conciencia podían cenar lo que quisieren.» Y la frase «echar el bodegón por la ventana» llegó a significar esplendidez en los convites.

En los bodegones, como en todos los establecimientos de comida, se observaban celosamente ayunos y abstinencias. Como es natural, existían bodegones de muy distintas calidades. Los días de abstinencia eran los viernes e incluso los miércoles. El jueves se comía toda la carne matada durante la semana. El viernes no se mataba por ser día de pescado, y el sábado reanudaban los rastros sus tareas. Pero por estar excesivamente correosa la carne recién muerta no se vendía hasta el domingo. Pero las vísceras y entrañas, de difícil conservación, podían consumirse en este mismo día. Se la llamaba «carne del sábado», muy popular, que consistía en sesos, pies, lenguas, bofes, asaduras, pajarillas y otros menudillos e interiores que recibían el nombre genérico de grosura. De estas piezas menospreciadas, los bodegoneros llegaron a hacer buenos platos, de los que gustaban incluso los paladares aristócratas y más de una vez llegaron a la mesa real. Hemos de decir que los bodegones y los figones más baratos y menos limpios mantuvieron y crearon una cocina popular, de la cual, por ejemplo, Lope de Vega nos habla:

*Y que ya siento vuestro olor
bodegones donde vía
tierna vaca y ensalada
que con cebolla y ensalada
verde jardín parecía.*

En los bodegones triunfaba la olla podrida, de la cual más adelante hablaremos, junto con los pies de puerco con garbanzos, la uña de ternera, la olla salpresa de vaca, o la de liebre, jigote, los gansos y los pichones, los conejos y los corzos, las piernas de cordero perdigadas, el carnero verde, las famosas albondiguillas, que fueron un plato, con los callos, esencialmente madrileño.

En cuanto a los figones, eran en el siglo XVII propios de gentes más acomodadas, al revés de lo que es ahora, en que la palabra figón es peyorativa. Quizá lo ha sido porque figón se solía llamar «al paciente en pecado nefando», según el *Diccionario de Autoridades*. Es decir, aquel a quien en el lenguaje de germanía se motejaba de fidencul.

Los denostados pasteleros

Los pasteleros, enojo y befa de Quevedo, eran quienes fabricaban, además de dulcerías, hojaldres y empanadas de carnes y pescados. Su fama fue pésima, puesto que se los acusó, muchas veces con razón, de los más fraudulentos manejos y sórdidas falsificaciones en el contenido de sus pasteles.

Si fuera verdad cuanto decían los escritores de la época, nos explicamos hasta cierto punto cómo a base de siglos de adulteraciones somos los españoles tan resistentes al tóxico y a los productos cuyas consecuencias nadie puede prever, y ello se demuestra en la alimentación actual. Debe de ser una inmunidad secular tras siglos de alimentaciones deficientes. Siempre en España se dio gato por liebre, o sea, que se engañó en la calidad de los productos, y la frase viene de este Siglo de Oro. Así se lee en el *Tesoro de la lengua castellana* de Sebastián de Covarrubias, tan citado en este libro y que data de 1611: «Vender el gato por liebre: Engañar en la mercancía, en la mercadería, tomado de los venteros de los cuales se sospecha que hacen a necesidad y echan un asno en adobo y lo venden por ternera. Debe ser gracia para encarecer cuán tiranos y de poca ciencia son algunos... Un bodegonero dijo que él se contentaba por haber vendido gato por liebre y pusímonos de pie con los venteros que dan lo mismo.» Tanto el problema llegó a ser común que se inventó una especie de fórmula o conjuro que Bastús narra en su libro *La sabiduría de las naciones*: «Los clientes para cerciorarse si lo que un bodegonero, ventero o pastelero, les presentaba en la mesa era liebre, conejo, gato o cabrito, se ponían de pie, alrededor de ella, y el más calificado o el anfitrión, apostrofaba la palabra a la cosa frita en estos términos:

> *Si eres cabrito,*
> *manténte frito,*
> *si eres gato,*
> *salta del plato.*»

Entonces se separaban algo de la mesa para que el gato pudiera escaparse si saltaba. Y, luego, conformados porque jamás hubo novedad, comían que fuese bueno o malo, intentando persuadirse que era conejo, liebre o cabrito. Resulta evidente que los pasteleros fraudulentos que vendían sus piezas hojaldradas y los bodegoneros eran protagonistas de grandes y pequeñas trampas. Los autores de la época de las novelas realistas y del teatro, fiel reflejo de las costumbres, cuentan y no acaban sobre el tema. Así habla un pastelero en la obra teatral de Rojas Zorrilla *Lo que quería el marqués de Villena*, refiriéndose a los pasteles que vendía baratos, casi regalados, a cuatro maravedís, a los estudiantes:

Ninguno malo ni bueno,
estudiante ha de quedar;
desde mañana he de echar
a los de cuatro veneno.

Se enojó —todo se ha de decir— porque los estudiantes acababan de robarle un pavo asado.

Otros afirmaban que los pasteles los elaboraban con carne mortecina, es decir, de animales muertos por enfermedades, no sacrificados, con carne de perro, de burro; incluso con carne humana, cosa en la que coinciden, con satírica exageración, el feroz Quevedo y el universal Lope de Vega. Dice Quevedo en *El Buscón*: «Parecieron en la mesa cinco pasteles de a cuatro, y tomando un hisopo, después de haber quitado los hojaldres, dijeron un responso todos, con su requiem eternam por el alma del difunto, cuyas eran aquellas carnes... Y así, siempre que como pasteles, rezo un Avemaría por el que Dios haya...» Parece que creía Quevedo que no era tan grave trueque y que sólo había trapicheos veniales. Así, en una de las *Jácaras* insiste:

Con poco temor de Dios
pecaba el pastel de a cuatro
pues vendí traje de carne,
huesos, moscas, vaca y caldo.

Y Quevedo aún insiste en su libro *Las zahúrdas de Plutón*, apostrofando a pasteleros y bodegoneros: «¿Qué de estómagos pudieran ladrar si resucitaran los perros que les hicisteis comer? ¿Cuántas veces pasó por la boca la mosca golosa y muchas veces fue el mayor bocado de carne que comió el dueño del pastel? ¿Qué de dientes habéis hecho jinetes y qué de estómagos habéis traído a caballo, dándoles de comer rocines enteros? Y os quejáis siendo gente antes condenada que nacida los que hacéis así vuestro oficio?»

Pero no todos los pasteleros eran malos y no se ha de tomar al pie de la letra el diente satírico, los excesos verbales, raramente voluptuosos, de un Quevedo o de un Castillo. Por poner un ejemplo, en el

23

mesón de Paredes se horneaban unos pasteles irreprochables, se cocían unas excelentes empanadas de ternera, unas empanadas de cubilete, con su picadillo de carne y almendra. Como se comía bien en el figón de Lepre, que es fama que duró muchos años y del cual era cliente Francisco de Quevedo, y era fama que una hija se casó nada menos que con un Fúcar (la realidad, que averigüé recientemente y por pura casualidad manejando papeles de la época, es que su marido fue sólo el representante de los riquísimos banqueros de Augsburgo).

Así pues, ni los pasteleros practicaban en general los torpes abusos canibalescos ni los alguaciles de la Casa y Corte eran tan lerdos como para no reprimir muchos de los desmanes y manejos de dar el célebre gato por liebre.

Las tabernas de Madrid

Famosas y numerosísimas fueron las tabernas de Madrid. No tan sólo para vender vino, sino para vender otras bebidas espirituosas como el hipocrás, la aloja o la garnacha. En 1600 había en Madrid nada menos que trescientas noventa y una tabernas, todas con su ramo en la puerta, y su número fue creciendo a medida que aumentaba la población. Así pues, sin hipérbole casi, corría este epigrama:

> *Es Madrid ciudad bravía*
> *que entre antiguas y modernas*
> *tiene trescientas tabernas*
> *y una sola librería.*

Estas tabernas se abrían en toda la ciudad y la gente bebía de ramo en ramo, tanto en la plaza Mayor como en la Cava de San Miguel, que eran los lugares preferentes para tabernas de vino del caro; pero tabernas de baratillo también se encontraban incluso en un árido descampado como la Cruz de San Roque, famosa por ser un nido de forajidos. Las reglamentaciones de los alcaldes de Casa y Corte eran infinitas y normalmente conculcadas. Amén de vigilar los pecadores tráfagos con el vino, el empeño de las autoridades eran alejar todo lo posible el despacho de víveres de la venta de alcohol. Querían también evitar que se establecieran tabernas cerca de las residencias de los embajadores extranjeros. Y, finalmente, durante todo el siglo XVII mantuvieron la lucha, siempre perdida, para evitar el despacho de vino en las clausuras conventuales. Esto último sorprenderá quizá a los lectores, pero no hemos de olvidar que los conventos eran importantes centros de producción. De hecho, en pasadas circunstancias históricas, habían salvado la cultura y el prestigio del vino en España y fuera de ella. Por lo tanto, siendo grandes dueños de viñedos, pretendían vender su cosecha en la corte. No sólo lo vendían al por mayor, sino que llegaron a instalar tabernas públicas en diferentes conventos, especialmente en los de San Jerónimo, San Basilio, colegio de Santo Tomás y el convento de los padres jesuitas. Toda una literatura municipal y espesa de premáticas, avisos, reglamentos y sanciones del ayuntamiento de Madrid suscitaba una catarata de memoriales reclamaciones, protestas y alegatos por parte de los conventos para poder vender su vino.

En lo que se refiere a los taberneros, la literatura los maltrata peor todavía, si cabe, que a los infames pasteleros. La primera acusación es la de aguar el vino, la segunda es venderlo lleno de mosquitos y moscas, y la tercera es realizar con él culpables trapicheos. En lo del bautizar el vino todos los poetas están de acuerdo. A Tirso de Molina, por ejemplo, le obsesiona: «Cuando pido de beber agua me traen en la copa y vino me echan encima», dice el duque en *El pretendiente al revés*. En otra ocasión dice:

Aquí llaman taberneros
y andan bautizando cueros.

Lope de Vega reflexiona con motivo de la justa poética de la beatificación de san Isidro:

> *Porque en vinos de Madrid*
> *lo mismo es agua que vino...*
> *por más fuentes que labréis*
> *más tenéis en las tabernas.*

También se refiere Lope de Vega a la taberna La Manta Colorada, en la cual se arma una pendencia y, como en el caso de don Quijote y los cueros de vino, salen del vientre de uno de ellos y un personaje exclama:

> *Ranas y mosquitos*
> *dando a entender que el tabernero*
> *ligó con estrechos lazos*
> *el agua cándida y pura*
> *con el vino siempre aguado.*

Lope de Vega creía que por las mañanas los taberneros se libraban a sus tráfagos pecaminosos:

> *Cuando el mozo del camino*
> *echa cebada a las mulas*
> *y los ladrones con bulas*
> *aguan la leche y el vino.*

Francisco de Rojas Zorrilla, en la obra que ya hemos citado, *Lo que quería el marqués de Villena,* cuando uno de los personajes muestra un ensalmo para cambiar el agua en vino, le replica a otro:

> *Si ello es vino de Madrid*
> *tan agua será como antes.*

Y así podríamos estar citando versos hasta fastidiar al lector. No obstante, creo que los poetas en el Madrid del XVII apreciaron mucho la calidad del vino de las tabernas, a pesar de su ojeriza por los taberneros. Así, por ejemplo, Tirso de Molina, en su obra *Ventúrate de Dios,* dice por boca de su gracioso Gilote:

> *Las viñas, Dios las bendiga*
> *y a Noé que las plantó.*

Y en *El caballero de Gracia* un personaje, Ricote, dice de Madrid:

> *... Es villa*
> *que a todos hace merced*
> *los amigos que mi sed*
> *hallados son: la Membrilla*
> *Esquivia la toledana...*
> *Burguillos que brinda a toca*
> *y los Molodros de Orgaz*
> *que se oponen a Ajofrín*
> *y contra injurias del cierzo*
> *felpas que aforran Bierzo*
> *y martas de San Martín.*

Acaba diciendo:

> *Más leales los más viejos*
> *todos éstos siendo añejos*
> *me roban el corazón.*

Sin embargo estos autores que lamentan el vino aguado elogian los vinos puros con verdadero entusiasmo. Apenas si he topado con un solo escritor que no fuera amigo y partidario del vino, comenzando por Francisco de Quevedo y Lope de Vega, a quienes sus envidiosos motejaron de borrachos. Efectivamente, cuando Quevedo recibió la Encomienda de Santiago, escribió Góngora:

> *A San Trago se debe y no a Santiago.*

Y en otro lugar, el feroz cordobés unió a sus dos enemigos en un verso malicioso:

> *Hoy hacen amistad nueva*
> *más por Baco que por Febo*
> *don Francisco de Que-bebo*
> *Félix Lope de Beba.*

Parece ser que Góngora tampoco le hacía ascos al vino, puesto que Quevedo, en una andanada que le dirigió, le llamó «sacerdote de Venus y de Baco».

En las tabernas de Madrid había toda clase de vinos en el siglo XVII. Muchísimos más vinos españoles que ahora. El vino de San Martín de Valdeiglesias, llamado también el vino del santo, que fue celebrado ya en el siglo XV por el grave Jorge Manrique, en el XVI por el alborozado fray Antonio de Guevara, que lo califica de blanco y oloroso, y por Luis de Zapata, que lo tiene «por el mejor vino blanco de España». En el siglo XVII, en su curioso libro *Comentarios vulgares a los refranes populares*, el doctor Sorapán de Rieros, que lo fue del Santo Oficio, afirma además que el vino de San Martín es medicina cordial contra la melancolía. «Así se le llamó vino del Santo e incluso vino santo y vino devoto.»

Vinos cercanos a Madrid conocieron gran fama en el siglo XVII y así llegaban frescos a las tabernas. Los de Cebreros en Ávila, y los caldos de Carabanchel, Valdemoro, Pinto, Alcalá de Henares, Vicálvaro, Arganda y Majadahonda, entre otros. Luego los bravos vinos toledanos, tan cercanos, como los de Esquivias, Yepes, Ocaña, Orgaz, Almonacid, Burguillos, Camarena y Cubas. Por el mismo camino de Toledo llegaban orgullosos los vinos de la Mancha —que los más famosos eran los de Ciudad Real, tan apreciados por Sancho Panza— y los de Membrilla, tinto este último por el que Tirso de Molina se despepitó en el elogio de él:

> *La siempre rutada y llana*
> *que salta sin dar enojos*
> *desde la taza a los ojos.*

Los vinos de Castilla la Vieja eran ilustres como lo son hoy: Coca, Madrigal, Alaejos, Medina del Campo, Toro. La fama del vino de Toro, rotundo, casi romántico, se labra ya en el *Cancionero de Baena*, y en lo que hace de referencia a los mostos de Medina del Campo, dice López Ossorio: «En principado y grandeza de la noble villa de Medina del Campo los vinos de esta villa y su comarca son de fama, pues se subastan de cuatro, seis y diez años.» Noble tierra de vino añejo. En cuanto a Galicia, se conocían ya los tostados y alternó su nombradía con la del Ribadavia, ciudad ilustre con su célebre barrio judío. Bien se sabe lo que dijo Tirso de este vino:

> *¡Oh, espuelas de Ribadavia!*
> *¿Quién para pasar el puerto*
> *de tanta nieve os calzara?*
> *Que a falta de tal almilla*
> *tiritando llegó el alma.*

Las propiedades medicinales de este vino de Ribadavia las tenía en mucho el pícaro Estebanillo González, que dice así en su autobiografía de *Un hombre de buen humor*: «Acudió remedio y entrándome en una posada me trajeron bizcocho y una azumbre de lo de Ribadavia, el cual por ser mi paisano, me sosegó el tormento de la barriga.»

Llegaba también a las tabernas madrileñas el fuego dulce y ardiente de los vinos de Andalucía. Del área de Sevilla se mandaba el de Cazalla de la Sierra, pueblo que hoy admiramos por sus aguardientes. Era de tan alta graduación que se decía: «Abrígate con una manta de Cazalla.» El jerez era conocido ya en el siglo XVII. Lo elogiaron Agustín de Zárate, Juan de la Cueva, Luis de Góngora, Fernández de Oviedo, Lope de Vega, Cervantes, el difícil Quevedo. El vino de Málaga era conocido por el vino de Pedro Ximénez, aunque era un mosto que había nacido en Montilla. Según la leyenda, Pedro Ximénez fue un soldado en Flandes y Alemania que trajo del Rin esquejes de las uvas alemanas ocultos en su cañuto de licenciado y los aprovechó para injertarlos en la vieja viña que su padre poseía en Montilla. La primera cosecha de este vino castrense fue de 1604. Las cepas de Pedro Ximénez arraigaron en Málaga y nació un caldo dulce y poderoso.

De Andalucía se vendían otros vinos: los de Lucena, Úbeda, Baeza y Martos, y esta última localidad era famosa por sus buenos vinos torrondeses, albillos y aloques. Asimismo, eran celebrados los mostos de los Condados y la Palma. Extremadura vendía el vino de Cáceres y Gualcanar, y de Aragón el Cariñena y el Longares. Los refinados degustaban las regaladísimas malvasías de Aragón, que no eran naturalmente de Aragón sino de Cataluña, del Penedès. De Valencia se bebían los vinos de Murviedro, Torrente y Peralta. Y el famoso Canarias, que llegaba más fácilmente a Londres que a Madrid pero que era considerado, con el de Alicante, como el más generoso de los vinos de España.

Las tabernas se conocían porque había la costumbre de colgar un ramo a su puerta. Lope se burla de los excesivos blasones de algunas casas. Escribe:

> Cuando veo que a su puerta
> pone un tabernero amigo
> un ramo de oliva, digo
> ésta es la nobleza cierta.

Los ramos de las tabernas eran famosos, y no menos lo eran los de las prostitutas, que de allí les vino el nombre de rameras. Y todo Madrid estaba de acuerdo con aquellos maeses de Lope en *El caballero de Olmedo*:

> Cuantas cosas imagino
> tres solas en mi opinión
> son buenas viejas, y son
> hija, el amigo y el vino.

El chocolate y el tabaco

El chocolate fue la pasión casi obsesiva del siglo XVII, que se transmitió, triunfal, al siglo XVIII. Como es bien sabido, la conversión del chocolate de bebida ritual de los aztecas y otros pueblos mexicanos en la golosina que luego se conoció y hoy nos enamora, se produjo poco tiempo después de la conquista y se debió sobre todo a las órdenes religiosas.

El primero que trajo el cacao a España fue el padre franciscano Olmedo, acompañante de Hernán Cortés, aunque hay quien opina que fue el monje del

Cister fray Aguilar. Sea como fuere, el chocolate llega a la península de mano de los frailes, y ellos se encargaron de extenderlo por el resto de Europa, mandándolo como obsequio a cenobios extranjeros de las mismas órdenes.

Quiere la tradición que las religiosas del convento de Guajaca fueran las primeras que tuvieran la idea de mezclar el cacao con el azúcar recién importado del Nuevo Mundo. (No olvidemos que la ruta de la caña de azúcar va de las vegas granadinas a las islas Canarias y luego a Santo Domingo y finalmente a México.) Sea como fuere, si realmente fue en Guajaca donde se endulzó por primera vez el chocolate, el hecho reviste una enorme importancia y durante el siglo XVII en España se denomina al chocolate «agasajo de Guajaca». En principio hubo tratadistas favorables al chocolate. En 1606, el doctor Cárdenas disertaba desde México «Sobre el chocolate, qué provecho hace y si es bebida saludable o no». Y en España, en 1631, aparece el libro del doctor Antonio Colmenero Ledesma, soldado, médico cirujano —autor también de un tratado de cirugía craneal, publicado en 1622—, con el título curioso de *Naturaleza y calidad del chocolate*. Antonio Colmenero es el verdadero definidor de la manera de tomar el chocolate en su época y da saludables advertencias. Una de ellas con una mentalidad muy del día para hombres apresurados. Dice exactamente «para hombres de negocios que no pueden aguardar». En este caso, y lo decimos a vuelapluma, Colmenero recomienda calentar agua, deshacer el chocolate mientras tanto y ponerlo con el azúcar correspondiente en un cazo. Cuando el agua borboteaba se echaba en ella el chocolate y quedaba a punto de mixtura. También avisa Colmenero, como circunspecto autor, de los excesos de los apasionados por el chocolate. Recomienda una saludable sobriedad, sobriedad que a buen seguro no les parecería tal a los médicos de hoy, ya que sus normas dietéticas son las siguientes: «Por la mañana cinco o seis onzas de chocolate en tiempo de invierno y si el sujeto es colérico, en lugar de agua ordinaria, se haga

31

con agua enduvia.» Agua enduvia era, como es sabido, agua de lluvia.

Otros libros sobre el chocolate son importantes, sobre todo el de León Pinelo, *Cuestión moral si el chocolate quebranta el ayuno*, publicado en Madrid en 1636. León Pinelo contestaba a las célebres disertaciones del padre Escobar que, a base del aforismo «*liquidum num rumpit jenjunium*», afirmaba que por su calidad de líquido era bebible sin pecar, como el agua, en relación con la Eucaristía. En la ruda polémica terció Tomás Hurtado en su obra *Chocolate y tabaco, ayuda eclesiástica y natural, si éste quebranta el chocolate y el tabaco al natural para la sagrada comunión*, publicado en 1645, también en Madrid. A estos libros doctos, pedantísimos y adorables, hemos de unir el *Panegírico al chocolate en octava rima*, que vio la luz en Segovia en 1640 y que escribió el padre carmelita fray Jerónimo de Pancorbo, con el seudónimo de Castro de Torres. Como hemos señalado, apenas hay autor de obras teatrales que no se refiera al chocolate y sería enfadoso multiplicar sus citas. Pero para demostrar la importancia que tuvo el chocolate, hemos de reproducir el principio de una orden de los alcaldes de Casa y Corte que data de 1644: «Hase introducido de manera el chocolate y su golosina, que apenas que hallara calle donde no haya uno, dos y tres puestos, donde se lava y vende, y a más de esto ni hay confitería ni tienda de la calle de las Postas y de la calle Mayor y otras donde no se venda, y sólo falta que lo haya también en las de aceite, vinagre...» Si el chocolate es la gran novedad universal del siglo XVII, el tabaco empieza a arraigar, a pesar de que tiene sus detractores teóricos, entre ellos don Francisco de Quevedo, que en su obra *El entremetido, la dueña, el soplón*, cree que el chocolate y el tabaco son la cumplida venganza de las Indias contra la conquista de España. Escribe así con pluma irónica: «De allí llegaron el diablo del tabaco y el diablo del chocolate, que aunque yo lo sospechaba nunca los tuve por diablos del todo. Éstos dijeron que se habían vengado a las Indias de España, pues habían hecho más mal en meter los polvos y el humo y jícaras y molinillos, que el Rey Católico a la colonia Cortés y a Almagro y a Pizarro... Cuánto era mejor y más glorioso ser muertos a mosquetazos y a lanzadas que a mosquitos y a estornudos y a revueldos y a vaguidos y tabardillos; siendo los chocolateros idólatras del sordo que se elevan y le adoran y se arroban y los tabacos como luteranos, si se toman en humo haciendo el noviciado para el infierno y si en polvo para el romadizo.»

De este párrafo se inferiría que el insensible don Francisco abominaba del chocolate y huía del tabaco. Fue todo lo contrario, naturalmente, como convenía a la naturaleza contradictoria del gran satírico; tomó chocolate y además en una mezcla propia, según confiesa desde su cautiverio en San Marcos de León. Y usó tabaco en polvo y en humo, como consta también en sus cartas y en algunos poemas tabaquiles. (También Lope de Vega, en su vejez, absorbía el polvillo de tabaco.)

El tabaco era prohibido por unos y venerado por otros. El cirujano Pedro López de León lo tiene por invención de Satanás en su *Práctica y teórica de las apostemas*, y afirma que «abrasa las partes interiores como yo he visto en este reino con algunos que he abierto por mandato de la justicia y hallándoles el hígado ceniza y las telas del cerebro negras como hollín de chimenea, que lavándolas salía de ellas agua como tinta.» No nos riamos, peor dicen los médicos de hoy.

Otro médico, el doctor Leiva y Aguilar, «médico filósofo de la insigne ciudad de Córdoba», en sus *Desengaños contra el mal uso del tabaco* reconoce que los daños que éste produce no son de su naturaleza sino por su mal uso, que es lindo descubrimiento que debió dejar a todos satisfechos. Al tabaco le salieron muchísimos enemigos en el siglo XVII, como en los siglos que luego vendrán. Un defensor, un campeón fenomenal, es el doctor Cristóbal Hayo, catedrático de medicina en la Universidad de Salamanca, en su libro *Excelencias y maravillosas propiedades del tabaco conforme gravísimos autores y grandes experiencias agora nuevamente sacadas a luz para consue-*

lo del género humano (Salamanca, 1645). Allí el docto catedrático va destruyendo uno a uno los cargos de sus adversarios, entre los cuales está el moralista fray Tomás Ramón, uno de los hombres más ridículos de su siglo y que aparecerá en este libro bastante a menudo como debelador constante y prolijo de las galas femeninas. El buen doctor Hayo, que hoy debe estremecerse de iracundia en su tumba vista la actual persecución del tabaco, cantó desde las virtudes físicas y medicinales del tabaco a las morales que éstas nadie puede negar, y afirma que usando de él no se siente soledad y que tiene la adorable virtud de dar descanso al cuerpo trabajado y cansado.

Capítulo II

DE LA COCINA PALACIEGA A LA SOPA BOBA

Hemos hablado de establecimientos, posadas, usos y abusos, gustos y pequeños vicios del siglo XVII, aludiendo a los vinos y a la gastronomía. Ahora nos toca tratar de los protocolos de la culinaria.

Comencemos por los textos: hasta finales del siglo XVI existía un libro en castellano, datado en 1525, que servía como recetario aristocrático y real de la cocina. Se trataba de la traducción del *Libre de doctrina per a ben servir de tallar i el art del Coch ço es de qualsevol manera de potages i salses, compost per el diligent mestre Robert de Nola, coch del serenísimo señor Fernando, Rey de Napols*. Éste es el título que lleva la primera edición catalana conocida, la que se guarda en la Biblioteca de Cataluña de Barcelona y ostenta como pie de imprenta el año 1520. Cinco años más tarde, en Toledo, se publicó la traducción del libro del mestre Robert y se la tituló *Libro de cocina compuesto por el maestro Ruperto de Nola, cocinero que fue del Serenísimo señor Rey Fernando de Nápoles*. Esta traducción se llevó a cabo gracias al privilegio imperial de Carlos V y consta como muy corregida y aumentada.

Hemos de decir que el libro de Nola, de quien no se tiene la menor noticia biográfica, tuvo, tanto en su catalán original como en castellano, un éxito extraordinario. En catalán se imprimieron cinco o seis ediciones, en castellano conoció un éxito más lisonjero, ya que en un siglo se editó quince veces. Fue un auténtico *best-seller*, comparable sólo en lengua castellana con el que se debía repetir años más tarde con el *Quijote*, y fue usado durante todo el siglo XVI y hasta la aparición de la obra de Diego Granado, cuyo título completo es el siguiente: *Libro del arte de cocina, en el cual se contiene el modo de guisar, de comer en cualquier tiempo, así de carne como de pescado, para sanos y enfermos y convalecientes, así de pasteles, tortas y salsas como conservas a la usanza española, italiana y tudesca de nuestros tiempos*. Este libro lo editó Luis Sánchez, lo vendió Juan Berillo, librero, y apareció en el año 1599.

Evidentemente, el libro de Granado aporta muchas novedades respecto al del mestre Robert. El autor parece haber residido largo tiempo en Italia y haber conocido las cortes alemanas. En cambio desconoce totalmente la cocina francesa que, dicho sea de paso, no tenía la importancia que los tratadistas franceses le conceden en aquella hora histórica de finales del siglo XVI. La cocina francesa creció en la segunda mitad del XVII, floreció en el siglo XVIII y tiranizó todas las demás cocinas del XIX. Ignoramos el éxito que hubiera podido favorecer al libro de Diego Granado por las novedades que traía y por las tradiciones que conservaba si años más tarde, en 1611, el propio Luis Sánchez no llega a publicar *Arte de cocina, pastelería, bizcochería y conservería*, debido a Francisco Martínez Motiño, cocinero de Su Majestad. El caso es que este libro parece pensado como una reacción contra el recetario de Diego Granado y demuestra el odio reconcentrado de Martínez Motiño por el autor, a quien consideraba un personaje deleznable, influido por el extranjero, ignorante, encandilado por unas cocinas bárbaras e incomprensibles para él.

Martínez Motiño, el gran barroco

El libro de Martínez Motiño es muy importante. Primero, porque habla de la organización de una cocina real, ya que fue cocinero de Su Majestad, el rey Felipe III, y según él, para serlo con toda autoridad, es necesario guardar tres cosas: «La primera es la limpieza, la segunda el gusto y la tercera la presteza. Teniendo estas cosas, aunque no sea muy grande oficial, gobernándose bien dará gusto a su señor y será acreditado.» Expone con menudos detalles la manera de mantener limpias y gobernar las cocinas y despensas, aconsejando que se blanqueen frecuentemente, que se frieguen con cuidado, que se elimine perfectamente la basura y que los oficiales de estos rudos servicios se laven al comenzar la faena y lleven siempre una camisa pulcra, limpia. Aconseja cómo se ha de mandar a quienes ofrezcan estos servicios y añade algo que es muy importante y sobre lo cual quisiéramos detenernos unos segundos: «Si fuera posible no tengas pícaros sin partido, y si los tuvieres procura que el señor les dé algo para que puedan tener camisas limpias que mudarse, porque no hay cosa más asquerosa que pícaros rotos y sucios, mas como que es una simiente que el Rey Felipe II, que Dios tiene con todo su poder, no pudo echar esta gente de sus cocinas, aunque mandó añadir mozos de cocina y otras suertes de mozos que se llaman ganapides, todo porque no hubiera pícaros y nunca lo pudo remediar.»

Tenía harta razón Martínez Motiño de abominar de los sollastres o pícaros de cocina, de los cuales Cervantes, en *La ilustre fregona*, los presenta como cabezas de medusa de la turba picaresca: «Oh, pícaros de cocina, sucios, gordos y lucios.»

Los grandes banquetes de Motiño

El libro de Martínez Motiño estudia el modo y la manera de cómo se han de servir las viandas en la mesa y se detiene en las minutas de los banquetes reales. Copiaremos algunas de ellas, que no difieren gran cosa de los grandes ágapes de las mesas aristocráticas:

«Banquetes por Navidad: perniles con los principios, ollas podridas, pavos asados con su salsa, pastelillos saboyanos de ternera hojaldrados, pichones y torreznos asados, platillo de artaletes de aves sobre sopas de natas, bollos de vacía, perdices asadas con salsa de limones, capirotada con solomo, salchichas y perdices, lechones asados, con sopas de queso, azúcar y canela, hojaldres de masa de levadura, con enjudia de puerco, pollas asadas.

»Segundo: capones asados, ánades asados con salsa de membrillos, platillo de pollos con escarolas rellenas, empanadas inglesas, ternera asada con salsa de orugas, costradas de mollejas de ternera e higadillos, zorzales asados sobre sopas doradas, pastelones de membrillos, canas y huevos mejidos, empanadas de liebres, platillos de aves a la tudesca, truchas fritas con tocino magro, ginebradas.

»Tercero: pollos rellenos con picatostes, ubres de ternera asada, gigotes de aves, platillo de pichones ahogados, cabrito asado y mechado, tortas de cidra verdes, empanadas de pavos en masa blanca, besugos frescos cocidos, conejos con alcaparras, empanadillas de pies de puerco, palomas torcaces con salsa negra, manjar blanco, buñuelos de viento.

»Las frutas que se han de servir en esta vianda son: uvas, melones, limas dulces o naranjas, pasas, almendras, orejones, manteca fresca, peras, camuesas, aceitunas, queso, conservas y suplicaciones.»

Creemos que este relumbrante botón de muestra es suficiente, pero de todos modos quisiéramos especificar lo que era una merienda para Martínez Motiño: «Perniles cocidos; capones o pavos asados calientes; pastelones de tercera, pollos y cañas calientes; empanadas inglesas; pichones y torreznos asados; perdices asadas, bollos maimones o de vacía; empanadas de gazapos en masa dulce; lenguas, salchichones y cecinas; gigotes de capones sobre tortas de natas; tortas de manjar blanco, natas y mazapán; hojaldres rellenas; salchichones de lechones enteros; capones rellenos fritos sobre alfilete frío; empanadas de pavos; tortilla de huevos, torreznos, picatostes calientes; empanadas de benazón; cazuelas de pies de puerco con piñones; salpicones de vaca y tocino magro; empanadas de truchas; costradas de limoncillos y huevos mejidos; conejos en huerta; empanadas de liebres; fruta de pestiños; truchas cocidas; panecillos rellenos de masa de levadura; platos de frutas verdes; gileas blancas y tintas; fruta rellena; empanada de perdices en salsa de bollos; buñuelos de manjar blanco y frutillas de lo mismo; empanadillas de cuajada o ginebradas; truchas de escabeche; plato de papín tostada con cañas; solomos de vaca rellenos; cuajada en platos; almojavanas. Si la merienda fuese un poco tarde, con servir pastelones de ollas podridas, pasará por cena. Ensaladas, frutas y conservas, no hay para qué ponerlas aquí pues se sabe que se ha de servir todo lo que se hallare conforme el tiempo en que se hiciere la merienda. Y adviértase que en todos los platos que van escritos en éstas hallarán escrito en el libro de orden de cómo se han de hacer y los recados que son menester para ellos.»

Como señala Martínez Motiño, todas las viandas que cita en estas fenomenales relaciones de minutas son minuciosamente reseñadas en su libro. Resumamos las principales: «Sopas varias, salpicón de vaca; albondiguillas de ave, zanahorias con pescado cecial o sea merluza u otro pescado seco curado al aire; varias clases de arroz, alcachofas, alcuzcuz pardo y roscón, buñuelos de queso, de viento y de arroz, berenjenas, borrajas; barbos, besugos, bizcochos de harina de trigo, de almidón y de arroz, torrijas, calabazas y cebollas rellenas; venados; cabrito; capón; caracoles; cangrejos; calamares; pulpos; ostias y ostiones; criadillas de tierra; potaje de castañas; empanadas de menudillos, de pies de puerco, de masa dulce y de carnes; aves y pescados, jabalí, piñas, chicharrones, grullas asadas con salsa; varias clases de tortillas, entre ellas la tortilla a la cartujana, que luego se llamó tortilla a la francesa; tortilla de queso; lechugas; lamprea; langostas guisadas; manteca de vaca; migas; longanizas; morcillas; membrillos asados; mostachones; pasteles de aves; carnero y leche; nabos; repollo; rosquillas; tortas de orejones, de nata de agraz, de cidra verde, de almendras, de frutas, de dátiles, de acelgas, de ternera o de cabrito.»

El que asó la manteca

Otra observación que quisiera hacer es que en el libro de Martínez Motiño viene, en la receta de la manteca de vaca, cómo se asa la manteca. Como es sabido, desde el siglo XVII, la frase proverbial «el que asó la manteca» se refiere a un personaje que sirve de término de comparación cuando se censura al que obra o discurre neciamente. Se suele decir: «Eso no se le ocurre ni al que asó la manteca.» Tiene esta frase su origen en una receta de Martínez Motiño que se titula «Cómo se puede asar una pella de mantecas de vacas en el asador.» Aunque forzoso es decir que no se trata del absurdo de asar la manteca, sino de calentar una pella de manteca que pringue sobre la miga de pan.

La importancia de Martínez Motiño, no tan sólo dentro de la cocina, sino de la historia de la vida cotidiana de los españoles y su influencia extraordinaria en todos los ámbitos de tipo gastronómico, lo demuestra que cuando la flamante Real Academia Española del siglo XVIII redactó el *Diccionario de Autoridades*, el libro de Martínez Motiño fue considerado como una de las autoridades de la lengua.

La comida en el Real Alcázar

Las recetas montadas y remontadas eran servidas de una manera ritual, litúrgica, casi coreográfica. Así se comprueba en el libro de Miguel Yelgo de Vázquez: *Estilo de servir a príncipes con ejemplos morales para servir a Dios*, editado tres años después del de Martínez Motiño, en 1614. Y allí vienen todos los preceptos y modos de servir del camarero, mayordomo o maestresala, veedor y cocinero. A ello sumamos lo que explica del funcionamiento de los banquetes en palacio este libro y otro moderno, *Etiqueta de la casa de Austria*, de Rodríguez Villa:

«Los oficios de la boca, o dependencias de Palacio

que intervenían en los yantares regios, eran: la cocina, donde se condimentaban los guisos; la panetería, donde se cocía y condimentaba el pan; la cava o bodega, que guardaba los vinos; la sausería o salsería, donde estaban los cubiertos y condimentos para aderezar algunos platos; la tapicería, que atendía a preparar muebles y alfombras para los banquetes; la fuerriería, que cuidaba de la limpieza, calefacción y arreglo de los comedores, y la cerería, cuya intervención se limitaba a las cenas, y estribaba en suministrar las hachas de cera para la iluminación de las salas de comer. También proveía la cera para alumbrar las demás estancias, y para el servicio de capilla, fiestas de Palacio, procesiones y honras fúnebres. Cada uno de esos oficios o dependencias constaba de múltiples servidores. Casi todos percibían, además de sus gajes, uno o varios platos en el fogón de Palacio, o materias comestibles.

»El comprador adquiría las carnes, pescados y demás subsistencias, entregándolos a los oficiales del guardamanxier, donde se recibían por peso y medida, llevando nómina de las raciones. El escuyer de cocina cuidaba de comprobar su calidad y precio, y de distribuir los manjares y vigilar su paso desde el fogón a la mesa real.

»La cocina —laboratorio de todas las suculencias— estaba presidida por el cocinero mayor, importante personaje que cobraba 43 800 maravedíes al año y derechos especiales en las comidas extraordinarias, disfrutaba de médico, botica y habitación, y percibía diariamente un pan de dos libras, dos azumbres de vino, dos libras de candelas de sebo, un cuarto de carnero y la gallina que daba substancia a la sopa del Rey o, en su defecto, los días de vigilia, cuatro libras de pescado, doce huevos y una libra de manteca, amén de otras ventajas.

»Gajes de igual índole, variables en cada caso, disfrutaban los otros miembros de la cocina. Era el principal el cocinero de la servilleta que recibía diariamente del guardamanxier lo necesario para el consumo, entregaba los platos a los encargados de conducirlos a la mesa real y, si eran de olla, los acompañaba al comedor, siempre con su indispensable servilleta sobre los hombros. Había, además de los cocineros, galopines, que limpiaban la cocina y desplumaban las aves; pasteleros, aguadores, triperos, especieros, potaxier y bruxier, que proveían de ensaladas, verduras, harina, cacerolas, leña, carbón y chismes de limpieza. Los porteros de cocina cuidaban de que no hubiera intrusos en tal departamento.

»Prestaban servicio fuera de la cocina dos cerveceros, un sumiller de cava para escanciar el vino en la mesa del Rey, un sumiller de panetería, que cuidaba de manteles y vajilla de plata, entregando el trigo al panetier para confeccionar el pan; el sausier, que tenía a su cargo los guisos, proporcionando el vinagre; el frutier, que compraba y servía la fruta; el ujier de la sala de la vianda, que hacía poner la mesa a las horas convenientes y cuidaba de que la sirvieran los que debían hacerlo, estando cada uno en su lugar. El trinchante presentaba al Rey los manjares; el valet servant limpiaba los cubiertos y servía el pan; el maestro de cámara pagaba los gastos de despensa y servidumbre culinaria; el controlador inspeccionaba los servicios de cocina y mesa; el grefier llevaba la contabilidad y el registro de los sirvientes. Por último, eran funcionarias del servicio de cocina, con las prebendas consiguientes, la lavandera de boca y la lavandera de Estado, que lavaban, respectivamente, la ropa del servicio real y la de los oficios de mesa.

»El mayordomo del Estado disponía y dirigía las comidas de los palaciegos, cuidando de su pulcritud y buen orden. Preparábanse dos mesas: una para los caballeros y gentileshombres y otra para los pajes. Los manjares sobrantes de la primera se hacían pasar a la segunda. Si de ésta restaba algo, se abandonaba a los mozos de cocina, y si aún había sobrante era para los pobres.»

Grandeza y miseria de la corte

Todo ello estaba desarrollado con un empaque decorativo, con aquella solemnidad natural que Velázquez recogió en sus cuadros como un hecho natural. El sevillano fue el prodigio de la pintura, el arte de inmortalizar la vida efímera con la mayor naturalidad. La servidumbre era innumerable, como lo eran los grandes señores que en ocasiones tenían cuatrocientos y quinientos criados, la mayoría de ellos inútiles, holgazanes, cuando no ladrones. Tanta servidumbre, tanta pompa y circunstancia, no respondía normalmente a los caudales ni de los reyes ni de los más almidonados aristócratas. Al lado de los lujos más desaforados había momentos de miseria casi incomprensible.

Jerónimo de Barrionuevo, en sus curiosos *Avisos* —que era una especie de dietario lleno de cominerías que dirigía a un deán de Zaragoza deudo suyo—, escribe cosas tan sorprendentes como ésta: «Come el Rey pescado todas las vigilias de la Madre de Dios y en las de Presentación no tuvo que comer más que huevos y más huevos por no tener los compradores un real para prevenir nada..., desde primero de enero se dice quitan las arcas de Su Majestad en todos los lugares. Todo es tratar de contadurías, arcas y de buscar dineros y no hay un real por un ojo de la cara.» Esto está fechado el 28 de noviembre de 1657. Asimismo, en fecha de 28 de octubre del año anterior, cuenta una cosa parecida: «Dícese que gusta la Reina de acabar de comer con confites y que habiendo faltado dos o tres días, salió la dama que tiene cuidado de esto que cómo no los llevaban como solían, respondiéronle que el confitero no los quería dar porque se debía mucho y no le pagaban nada. Quitóse entonces una sortija del dedo y dijo: "Vayan volando por ellos con esta prenda a cualquier parte." Hallóse Manuelillo de Gante, el bufón, presente y dijo: "Torne vuestra majestad a envainar en el dedo su prenda" y sacó un real de a cuatro y diolo diciendo: "Traiga luego los confites a prisa para que esta buena señora acabe con ellos de comer."»

En este mismo *Aviso* cortesano apostilla lo siguiente: «Dos meses y medio ha que no se dan en palacio las raciones acostumbradas, que no tiene el Rey un real y el día de San Francisco le pusieron a la Infanta en la mesa un capón que hedía como perros muertos. Siguiólo un pollo, del que gusta, sobre unas rebanadillas como torrijas llenas de moscas y se enojó de suerte que a poco no da con todo en tierra. Mire V. M. cómo anda Palacio. Todo es como lo cuento, sin añadir ni quitar un ápice.»

La comida cotidiana del pueblo

Tanto en el siglo XVI como en el XVII, comían grandes platos artificiosos los reyes y los nobles. Se sustentaba la clase de mercaderes y burgueses, malvivía el resto de los españoles, y los estudiantes, los pícaros y los mendigos iban a la sopa boba. De todos modos y a pesar de la literatura del hambre, que es la brillante y única picaresca de los siglos XVI y XVII, en Madrid comían mejor quizá que en el campo. Notemos que los grandes pícaros famélicos de las novelas no son en modo alguno madrileños. Así pues, mientras el jesuita Santibáñez, a finales del siglo XVII, clamaba que en pueblos enteros de Andalucía sólo se comen bellotas, en Madrid, en Sevilla, en Valencia, en Barcelona, se comía algo más sólido y sustancioso. El teatro español, que es una fuente inagotable para reconstruir lo que era la vida y los condumios de la gente de la época, nos presenta comidas bastante notables de las gentes de la Villa y Corte, o de Sevilla o Toledo. Veamos, por ejemplo, lo que era una merienda campestre según Cervantes en su entremés *El rufián viudo*:

> *Hay regodeo, hay merienda,*
> *que las más famosas cenas*
> *ante ellas cogen la rienda:*
> *cazuelas de berenjenas*
> *serán penúltima ofrenda.*
> *Hay el conejo empanado*
> *por mil partes traspasado,*
> *con saetas de tocino;*
> *blanco el pan, igual que el vino*
> *y hay turrón alicantado.*

> Cada cual que esto roba
> blancas vistosas y nuevas
> una y otra rica coma;
> dales limones las Cuevas
> y naranjas el Alcoba.
> Dábales en un instante
> el pescador arrogante
> más que le hay del norte al sur
> el gordo y sabroso albur
> y la anguila resalante
> el sábalo vivo vivo
> colear en la caldera
> o soltar en fuego esquivo
> verás en mejor manera
> que te lo pinto y describo.
> El pintado camarón,
> con el partido limón
> y bien molida pimienta
> verás cómo el gusto aumenta
> y le saca de harón.

Asimismo, Juan de la Cueva, en la jornada primera de su comedia *El infamador*, describe una merienda rica pero popular:

> Trújome unos arenques de Galicia,
> con una media que marcó en el pósito
> y un pedazo de queso de Mallorca,
> un plato de aceitunas con pimienta
> con mucho alcaparrón y berenjena,
> curtidas en vinagre con especias.
> Y un gran jarro de mosto de Cazalla
> pasaba de más de cinco hojas
> y más de un azumbre a la medida.
> Tendió el canto del manto sobre el pollo
> por manteles sirvió de servilleta
> el mandil del caballo y desde suerte
> muy a nuestro sabor le dimos fondo.

Si el pueblo artesano y acomodado se ganaba tales merendolas, la comida acostumbrada de las gentes de una cierta posición —buenos artesanos, ricos mercaderes, gentes de toga— era mejor. Antonio Piñero da Veiga, satírico y fantasioso en sus imaginaciones, es bastante exacto, como portugués receloso, en sus observaciones. Y explica así los condumios y dietas: «Los castellanos comen carne tres o cuatro veces al día. Su azúcar rosado del desayuno matutino consiste en pasteles, turmas y cosas que se lleva el gato; hasta en el color de la carne se conoce que es más gorda que la nuestra y de menos sustancia, porque la gorda tiene menos sangre, y los hombres flacos son, como es sabido, más sanguíneos. De donde se sigue que la manera de curar las dietas de Castilla son muy solemnes, porque en los primeros días de convalecencia dan a los enfermos gallina, y aun carnero, que rara vez se lo niegan al enfermo; a la noche, ave asada; huevos nunca dejan de comerlos, por aguda que sea la enfermedad, así como bizcochos de huevo y "paneatas", que son sopas tostadas por encima con manteca, melocotones y peras asadas (así me curaron a mí el tabardillo que tuve). Las sangrías rara vez pasan de tres, nunca dos en el mismo día; los jaropes son purgas suavísimas, porque de ordinario consisten en una onza, mezclada con dos de agua, de lengua de vaca puesta al sereno. Son estos jaropes la mayor recreación que puede tener el enfermo, porque aun en estado de completa salud son en extremo agradables. Todo lo que llevo dicho lo causa el ser más flaca aquí la naturaleza y los mantenimientos menos fuertes y sustanciosos; y así me decía un médico del rey que en Portugal, donde las naturalezas son más robustas, los aires y los mantenimientos más fuertes, había curado enfermos de distinto modo.»

El palillo en los dientes

Cierto es que los pobres comían lo que podían. Los hidalgos que no podían trabajar so pena de perder su orgullo y su condición tampoco podían comer por carecer de dinero. De ahí viene el ceremonial sarcástico del palillo que tantas bromas y abusos suscitó en los poetas. Recordemos el mordaz epigrama de

Salvador Jacinto Polo de Medina a un hombre que se limpiaba los dientes sin haber comido:

> *Tú piensas que nos desmientes*
> *con el palillo pulido*
> *con que sin haber comido*
> *Tristán te limpias los dientes,*
> *pero la hambre cruel*
> *da en comerte y en picarte*
> *de suerte que no es limpiarte*
> *sino rascarte con él.*

Estos hidalgos con la mirada perdida, enhiestos, supremamente melancólicos, tan caros a la prosa delicada de Azorín y a sus austeridades castellanas, contrastaban con otros que pasaban asimismo hambres feroces; los estudiantes, con hambre y con sarna, de los que dice Cervantes: «Si la sarna y la hambre no fuesen tan unas con los estudiantes, en su vida no habría otra de más gusto y pasatiempo.» El hambre iba tan a una con los estudiantes que para ponderar a una hambre cualquiera, llegó a llamarse hambre estudiantina o estudiantil. Y el poeta Luis Barahona de Soto, en sus *Tercetos a la pobreza*, pondera la de los estudiantes desharrapados y pordioseros:

> *Qué de quinchones, qué de mataduras*
> *y qué de amores, trances y revueltas*
> *y qué de hambres de estudiantes puras.*

Recordemos que el insustituible Juan de la Cueva, en su comedia *El tutor*, hablando de un estudiante, dice:

> *Escríbeme que está bueno*
> *de salud, aunque con sarna,*
> *no estudia quien no se ensarna*
> *dicen que escribe Galeno.*

Otro personaje considerable, Salazar y Torres, lucubra festivamente, en su *Cítara de Apolo*, cuál de las dos fue primero, si la sarna o el hambre estudiantil, y dio al hambre la primacía:

> *Y si esta razón no encarna*
> *dicen autores bastantes*
> *que la hambre de estudiantes*
> *es más vieja que la sarna.*

La sopa boba

Como es sabido, la sopa boba era la comida que daban a los pobres en los conventos. Que yo sepa, no había ninguna receta especial, ni mucho menos, para confeccionarla. Y todas las alusiones que se hacen a ella la presentan como una especie de bodrio, de revuelto potaje, sobrenadando en él tronchos de col y tocino rancio como mayores mantenencias. Como la pobreza y el hambre es una constante de nuestra literatura a través de los siglos, la expresión «sopa boba» ha tenido mucho éxito y ha dado lugar a diversas expresiones y transformaciones: comer la sopa boba, andar a la sopa boba, que quiere decir llevar una vida holgazana y a expensas de otros. De la sopa boba ha venido la palabra sopista, que era la persona, generalmente un estudiante, que andaba a la sopa boba, y por extensión el escolar que seguía una carrera literaria sin otros recursos que la caridad. Luego, vivir de la sopa boba ha querido decir, ya más modernamente, poseer una sinecura o enchufe.

En el siglo que nos ocupamos se llamaba también a la sopa boba la gallofa, que venía de la comida que se daba a los pobres que peregrinaban de Francia a Santiago de Compostela pidiendo limosnas. De gallofa vino gallofero, que fue quien se aprovechaba de la sopa boba y vivía de ella. Luego, gallofero significó holgazán y vagabundo, pícaro o pordiosero que andaba pidiendo limosna sin oficio ni beneficio, y asimismo se imaginó un verbo, gallofear, que quiere decir, según el *Diccionario* de la Real Academia, pedir limosna viviendo ociosamente sin aplicarse a trabajo ni ejercicio alguno. Así, por ejemplo, el padre Juan de

Pineda, en su libro *Los treinta y cinco diálogos familiares de la agricultura cristiana* (Salamanca, 1589) —que es uno de los libros mejor escritos jamás en castellano—, alude a las gentes que «viven de gallofear, andando de hogar en hogar donde ven que sale humo».

VOCABULARIO GASTRONÓMICO

albondiguillas.   Albóndiga es cada una de las bolas que se hacen de carne o de pescado, picados menudamente y trabajados con ralladuras de pan, huevos batidos y especias, y se pueden comer guisadas o fritas. La palabra albóndiga, según el *Diccionario* de la Real Academia, viene de *albunduga*, que significa avellana. Pero Joan Corominas, en su *Diccionario etimológico de la lengua española*, la hace venir de *bunduga*, que quiere decir bola.

Agustín de Rojas en *El viaje entretenido*, que es libro del siglo XVII que trae muy curiosas noticias, pone las albóndigas entre los más exquisitos bocados:

> *Y a merendar, un pastelillo hechizo,*
> *O una gallina bien salpimentada,*
> *Que me guarda mi amigo el del bodego*
> *Y a la noche su cuarto de cabrito,*
> *O las albondiguillas y el solomo*
> *Y tras esto, la media, que no falta*
> *Que la puede beber el Santo Padre.*

almojábana.   En su inicio era una torta que se hacía con masa de queso pues provenía de una voz arábiga que significaba quesadilla, y así lo atestigua el *Tesoro de la lengua castellana* de Covarrubias (1611). Pero en el Siglo de Oro servía para cualquier masa hecha con manteca de cerdo, huevo y azúcar, a manera de lo que luego se llamó mantecadas. De esta misma masa se hacían también buñuelos y otras frutas que se llamaban de sartén y a las cuales se las llamaba genéricamente almojábanas. Vale también para buñuelos de viento. Francis-

49

co Martínez Motiño, en su *Arte de cocina* (1611), aconsejando sobre el modo de hacer buñuelos de viento, escribe: «Esta masa sirve para almojábanas y después otras almojábanas de cuajada diferente.» Que almojábanas eran también buñuelos de viento puede comprobarse en la comedia de Lope de Vega *Los locos de Valencia*, donde un personaje alborota:

> *Avisa a todo el convento*
> *que hoy hay fruta de sartén*
> *y almojábanas de viento.*

La palabra almojábana se usa todavía en Andalucía y en el reino de Murcia.

ante.   Es el principio o los principios que se sirven en la comida. Solían consistir en frutas. «Llegó un plato de frutas en el ante», escribe Cervantes en el *Quijote*. Torres Naharro la usa como italianismo derivado de *antepasto*.

artalete.   Artalete, manjar de corte, era una empanadilla o pastelillo que se cocía sobre un papel y estaba compuesto de carne picada, regularmente de ave o ternera. También podían ser rellenas a veces con manjar blanco. Venía del francés *tartalette*, que significaba lo mismo. Martínez Motiño, al subrayar unos artaletes para él exquisitos, afirma: «He puesto esta manera de artaletes no porque son los mejores, sino porque son los que Su Majestad come mejor.» En este caso, Su Majestad era Felipe III, ya que el *Arte de cocina* fue editado en 1611.

beber con guindas.   Es ésta una expresión que tomó un sentido exagerativo en cuanto a delicias y que necesita una explicación, puesto que aparece en infinidad de autores, desde Mateo Alemán a Cervantes, de Lope a Rojas Zorrilla, sin olvidar, como es natural, a Quevedo y a Góngora. Las guindas, la cereza garrafal, se confitaban en azúcar, secas y sin hueso, o en almíbar, y este último dulce era el característico de las gentes refinadas. Góngora dijo de sí mismo:

> *Que come a las diez*
> *y cena de día;*

*que duerme mollido
y bebe con guindas.*

Así también se toma como ponderación de la exqui-
sitez según este pasaje del *Quijote*: «No solamente pide
que se azote a un villano, sino a un gobernador, como
quien dice: bebe con guindas.»

bizcocho.   La palabra bizcocho, que viene de bis —dos—
y de la palabra latina *coctus* (cocido), significa origina-
riamente cocido dos veces. Conforme a esta etimología
es un pan sin levadura que se cuece por segunda vez
para que se enjuague y dure mucho tiempo, y con el
cual se abastecieron las embarcaciones en sus largas
navegaciones en los siglos XV y XVI. Pero pronto pasó a
significar también la masa compuesta de la flor de harina, huevos y azúcar, delicada golosina que hoy conocemos. Asimismo, significa objeto de loza o porcelana
después de recibir la primera cochura y antes de recibir
el barniz o esmalte.

El bizcocho como alimento de la navegación es la
aceptación más antigua. Era no solamente alimento de
los marineros, sino de los galeotes, y así lo expresa
Cervantes en la boca de un pícaro, remero en galeras:
«Otra vez he estado cuatro años en galeras, y ya sé qué
sabe el bizcocho.» Aquel bizcocho era muy duro, de tal
modo que los galeotes veteranos esperaban con malicia
ver a los novatos hincarle el diente sin antes remojarlo.
Pero como no se hacían con harina fina, sino con la
harina completa con el salvado, era como un pan in-
tegral.

canela, agua de.   Bebida que se hacía cociendo la canela o echándola en infusión y después se incorporaba
almíbar de azúcar, «con lo que queda hecha la bebida».
La bebía para refrescarse el conde-duque de Olivares,
entre otros aristócratas iracundos.

capirotada.   Guisado caótico que se hacía con hierbas,
huevos, ajos y otros ingredientes. «Se echaban uno encima de otro, a fin de bañarlo, rebozarlo, y porque lo
cubre a modo de capirote, se llamó capirotada.» Esto
dice Covarrubias en el *Tesoro de la lengua castellana*
(1611). Debía de haber muchas variedades de capirotada

porque leemos en *La vida de Estebanillo González, hombre de buen humor*, que fue cocinero como bien se dice en el texto, la siguiente frase: «haciendo capirotadas de huevos y cocimientos de vinos».

capón de leche. Según el *Diccionario de Autoridades*, capón de leche es el pollo castrado y cebado en caponera, con salvado o harina amasada con leche. Así, se lee en *Guzmán de Alfarache*, entre otros clásicos: «Mandé a mi criado comprase un capón de leche, dos perdices y un conejo empanado.» Capón de leche se usaba como la máxima ponderación de lo exquisito. Por ironía e irrisión era, en cambio, «capón de galera» una especie de gazpacho que se hacía con bizcocho, aceite, vinagre, ajos, aceitunas y otros ingredientes a mano y que se daba a los galeotes. Era una ración menor que la habitual que casi siempre comportaba habas y guisantes secos, que eran legumbres ordinarias, y en algún caso arroz y garbanzos, que eran reputadas como legumbres finas.

carnero verde. Era un guisado que se hacía con carne de carnero cortada en pedazos, sazonándola con perejil, ajos partidos, rejillas de tocino, pan mojado desleído con yemas de huevo y sus especias finas. Se acompañaba de diversas verduras, de donde viene el dudoso adjetivo verde. Lope de Vega, con su seudónimo Tomé de Burguillos, escribió:

> *Dice que vas quien siempre muerde*
> *más que para galán para guisado*
> *porque pudiera ser carnero verde.*

carraspada. Era una bebida que se mezclaba por Navidades compuesta de tinto aguado con miel y especias. Así, Anastasio Pantaleón en sus *Obras poéticas*:

> *Aquel a quien hoy ministra*
> *Ganímedes en la copa*
> *mil néctares hipocrases*
> *mil carraspadas y ambrosías.*

Carraspada no pasaba de ser un brebaje de vino con miel, el *vinum melitites* de las legiones romanas.

cazuela.   Además de recipiente para cocinar, en el Siglo de Oro se llamaba cazuela también a un guisote que se hacía en ella, compuesto de diferentes legumbres y carne picada. Así Motiño, en *Arte de cocina*, dice: «Esta cazuela se puede hacer de cabrito y de pollos o pichones y de carnero y de menudillos de ave.»

cazuela moxí.   Es la torta cuajada que se hace en cazuela con queso, pan rallado, berenjenas, miel y otros ingredientes. Y a su imitación suelen añadirse huevos bien guisados y entonces se llama cazuela cuajada. Según Martínez Motiño, para una cazuela moxí son menester dos o tres docenas de berenjenas.

costrada.   La costrada era una torta que se amasaba con huevos, azúcar y una masa de harina, y que se rellenaba de aves y viandas o bien de frutas y legumbres.

ginebrada.   Una especie de torta de hojaldre hecha con manteca de vaca, azúcar y especias dulces. El *Diccionario de Autoridades* sostiene que se llamó así por haberse inventado en Ginebra, cosa que es muy dudosa. El caso es que era un alimento popular porque en *La pícara Justina*, que se publica en 1605, ya aparece como manjar corriente: «Comenzamos a hacer penitencia con un jamón y con ciertas ginebradas bien obradas.»

jigote.   Jigote era carne asada y picada menudamente y, por extensión, «hacer jigote» una cosa o de una cosa era literalmente hacer picadillo. En las malas posadas el jigote permitía mezclar las peores carnes.

hojaldre.   Sobre la invención del hojaldre se imaginaron muchas leyendas. El patriótico Dionisio Pérez «Post Thebussem», en su *Guía del buen comer español*, pretende que es invención de nuestro siglo XVI. Los franceses, no menos patrióticos, sostienen que esta invención se debe nada menos que a su pintor Claudio de Lorena, que era asimismo pastelero. Mi opinión modestísima es que el hojaldre era mucho más antiguo, y una pasta parecida al hojaldre aparece ya en el recetario romano de Apicio. Sea como fuere, según el *Diccionario de Autoridades* era el hojaldre del siglo XVII una masa muy sobada con manteca, «que hace, al cocerse en el horno, unas hojas delgadas, puestas unas sobre otras, por cuya razón se llamó hojaldre. Sirve esta masa para tostadas, cubrir pasteles y otras cosas». Subrayemos que los pasteles hojaldrados fueron famosos en el siglo XVII y entraron en el lenguaje popular de tal modo que los usó incluso el refranero: «Quitar la hojaldre al pastel» significaba descubrir algún enredo, trampa o maraña. Los pasteles hojaldrados aparecen tanto en el diccionario de Diego Granado (1599) como en el de Martínez Motiño (1611).

lebrada. Cierto género de guisado, llamado también junglada, que se hace con la liebre medio cocida, y después medio asada, y cortada a pedazos algo grandes, y después frita con cebolla, cortada bien menuda y con tocino gordo. Luego se cuece con caldo, almendras tostadas y majadas, con un migajón de pan remojado en vinagre blanco y con higadillos de gallina, todo majado, colado y destemplado, echándole cantidad de jengibre, azúcar y canela. Este guisado viene en el *Libre del Coch del mestre Rubert de Nola* y en sus traducciones castellanas. En la lebrada de Castilla la Vieja se le echaba un poco de anís.

malcocinado de Valladolid. Malcocinado, según el *Diccionario* de la Real Academia, era el menudo de reses y también el sitio donde se vendía. En *La vida y hechos de Estebanillo González, hombre de buen humor, compuesto por él mismo,* cuya primera edición data de Bruselas, en 1646, es un plato: «Hacía cada día un potage, que aun mismo ignoraba cómo lo podía llamar, pues no era jigote francés ni almodrote castellano; mas presumo que si no era hijo legítimo, era pariente muy cercano del malcocinado de Valladolid porque tenía la olla en la que guisaba tantas zarandajas de todas yerbas y tanta variedad de carnes sin preservar animal, por inmundo y asqueroso que fuese, que sólo le faltó el jabón y lana para ser olla de romance, aunque lo fue de latín, pues ninguno llegó a entenderla, ni yo a explicarla, con haber sido estudiante. Con esto engrasaba a los soldados y despachando escudillas de contante y platos de fiado, ellos cargaban con todo el bodrio y yo con todos los socorros.»

manjar blanco. El manjar blanco es de origen catalán o valenciano y en los recetarios del siglo XIV y XV se presenta como una crema espesa en la cual los principales ingredientes eran la pechuga de gallina o capón, arroz, almendras y azúcar. Se tenía por una comida de cuchara, como una extrema delicadeza para el paladar. Sus ingredientes fundamentales, el azúcar y el arroz, eran de procedencia árabe, como en los postres de almendra; así pues, no podemos dejar de pensar que este plato tiene un claro origen peninsular y levantino. El manjar blanco en los siglos XV y XVI pasó a todos los recetarios europeos. Al paso del tiempo se convirtió en una cosa completamente distinta: una golosina cuyos componentes eran leche, azúcar, harina de arroz hervido, todo dejado enfriar.

El manjar blanco fue famosísimo en Madrid durante el siglo XVII. Los cocineros barrocos fueron los más artificiosos en su confección e imaginaron el «manjar real», que se elaboraba con «pechugas deshiladas y desatadas en el almíbar, a las que se añade la almendra machacada y pan rallado y tostado». En la segunda parte del *Quijote* el barcelonés don Antonio Moreno dice a Sancho Panza: «Acá tenemos noticias, buen Sancho, que sois amigos del manjar blanco y de las albondiguillas.» Éstos fueron dos refinamientos que pasaron a la calle y se popularizaron y bien pronto se degradaron y corrompieron. Los solían vender gentes ambulantes a las que llamaban «manjarblanqueros». En el entremés de Quiñones de Benavente, llamado *Entremés famoso del aceitunero*, se halla un gracioso diálogo entre la mondonguera y la manjarblanquera. Dice ésta:

> *Cortes anos, boquidulces*
> *manjar blanco es el que vendo*
> *pechugas, arroz y leche*
> *lleva el manjar blanco dentro.*

Así pues, en todo el siglo XVII fue la exageración lírica de esta melindrosa golosina. Lucas Rodríguez, en su *Romancero historiado*, escribe:

> *¿Qué manjar blanco pudiese*
> *compararse contigo*
> *si te viese?*

matagorrillo. Era un guisado que se hacía con asadura de animal picada, y especialmente del puerco. Era manjar tabernario y de poca entidad y se usó más tarde para designar peyorativamente a cualquier plato.

mazamorra. Éste era el guisado, potaje o bazofia que se les daba a los forzados en galeras. Así aparece en *Guzmán de Alfarache*: «Dieron mi ración de veintiséis onzas de bizcocho y como era nuevo y estaba desproveído de gábata recibió la mazamorra en una de un compañero.» Como perteneciente a la jerga de los galeotes, la palabra es común a la lengua franca del Mediterráneo. En catalán está documentada —*maçamerro*— desde el siglo XV. En el Madrid de los Austrias tomó el sentido peyorativo de bazofia. Sin embargo, al pasar a América, mazamorra no tuvo el significado de bazofia de galeote. En América fue una preparación dispuesta con harina de maíz, con azúcar miel, semejante a las poleadas, y se usó mucho en el reino de Perú para el abasto y mantenimiento de la gente pobre. Así Fernández de Oviedo, en su *Historia*, escribe: «Haciéndoles para comer una grande olla de mazamorra, en tanta cantidad que no estaría para veinte. La despabilaron entre los seis solos sin dejar nada.»

olla podrida. Covarrubias, en el siglo XVII y en su obra *Tesoro de la lengua castellana*, la define así: «La que es muy grande y contiene en sí varias cosas, como carnero, vaca, gallinas, capones, longaniza, pie de puerco, ajos, cebollas, etc. Púdose decir podrida en cuanto se cuece muy despacio, que casi lo que tiene dentro viene a deshacerse y por esta razón se pudo decir podrida, como la fruta que se madura demasiado.» Sancho Panza habla en varias ocasiones de las ollas podridas «que mientras más podridas son, mejor huelen». El golosazo —así le increpaba don Quijote— decía, ya de gobernador en la ínsula Barataria: «Aquel platonazo que está más adelante vahando me parece que es olla podrida que por la diversidad de cosas que en las tales ollas hay no dejaré de topar con alguna que no sea de gusto y de provecho.» Se la quita de las ávidas narices el doctor Pedro Recio de Tirteafuera, bajo la especie de que tal plato grosero es para los canónigos o para los rectores de colegios o para las bodas labradorescas, jamás para gobernadores. Miente el bellaco medicastro: lo fue también para las mesas reales. Así, el padre Cristóbal de Fonseca en *La vida de Cristo*, escribe: «Verás al rey cenando la olla podrida y treinta platos encima.» Efectivamente, el *Arte de cocina, pastelería y bizcochería*, compuesto por don Francisco Martínez Motiño, cocinero mayor del rey, la pone muy y muy distinguida en su tratado.

pepitoria. La palabra pepitoria significa guisado que se hace con todas las partes comestibles del ave o con sus despojos, y cuya salsa tiene siempre yema de huevo. Es, según Coromines, la máxima autoridad de la filología castellana, una alteración de la palabra petitoria, y aparece por primera vez en castellano en 1591. En su forma pepitoria se registra en 1613. Todo ello procede del francés arcaico *petite oie*, que quiere decir ganso pequeño, y se llamaba así por haber sido hecha, en un principio, con los menudillos de esta ave.

perdigar. Perdigar, verbo que tan a menudo aparece en los recetarios de la época, era poner sobre las brasas la perdiz y otra ave o vianda para que se conservara un tiempo sin dañarse. Así viene, por ejemplo, en el *Guzmán de Alfarache*: «Mandóme aderezar la lumbre, calentar agua, pelar y perdigar, en lo que ocupé gran parte de la noche.»

salpicón. La palabra salpicón deriva al parecer del francés *saupicon*; era un fiambre de carne picada, compuesto y aderezado con pimienta, sal, vinagre, cebolla y todo mezclado. Hacíase regularmente de vaca y se usaba muchísimo sobre todo como cena en el mundo rural. Así, por ejemplo, aparece en las primeras líneas del *Quijote*, cuando Miguel de Cervantes escribe a un hidalgo de aldea con aquella concisa y elegantísima perfección: «Un hidalgo de los de lanza en astillero, adarga antigua, rocín flaco y galgo corredor. Una olla de algo más vaca que carnero, salpicón las más noches, duelos y quebrantos los sábados, lentejas los viernes, algún palomino de añadidura los domingos, consumían tres partes de su hacienda.» También Francisco de Quevedo subraya el poco refinamiento del plato:

En esto oyó los suspiros
que pujaba la Chillona
con un llanto salpicón,
vertida pura cebolla.

Digamos que el villano ajo y la llorona cebolla eran signos de rusticidad. Metafóricamente se llamó salpicón a cualquier cosa hecha en menudos pedazos, como acaece con la palabra pepitoria.

salmorejo. Era y es en bastantes regiones españolas, incluso en Canarias, una salsa con la que suelen aderezar los conejos, que se compone principalmente de pimientas, sales y otras especias.

salpimentar. Salpimentar valía —y vale— por sazonar alguna cosa con mezcla de sal y pimienta para que se conserve y tenga mejor sabor. Por traslación significaba también componer, disimular o afectar con razones, chistes o hechos algún razonamiento.

tajarina. La pasta italiana que hoy llamamos tallarines. Así la describe Mateo Alemán en el *Guzmán de Alfarache*: «Y unas tajarinas, que es un manjar de masa cortada y cocida en grasa de ave, con queso y pimienta.»

CAPÍTULO III

LA MODA FEMENINA Y MASCULINA

Como es natural en un siglo barroco, en una nación
que todavía se cree opulenta y con una monarquía
que se impone una exhibición casi ritual de poder, la
moda es importantísima, tanto la moda masculina
como la femenina. En todos los accesorios, que van
desde la cosmética a la peluquería, desde el calzado
a los guantes. España era un espectáculo teatral, y
como tal se ofrecía al mundo y sobre todo al resto de
los españoles ante quienes debía responder de una
manera triunfante y en solitaria seguridad a su destino único.

En todos los períodos históricos tuvo mucha importancia la moda. Honoré de Balzac formuló una
frase que me complazco en recordar muy a menudo:
«Quien no ve en la moda más que la moda es irreme-
diablemente estúpido.» El traje y sus aderezos son el
más auténtico y rotundo de todos los símbolos, los
atavíos se han creído en su momento absolutamente
adecuados, legítimamente justificados.

Evidentemente, la moda del barroco responde a
un momento espiritual muy claro. La tiranía del pudor y la complicación ornamental. De hecho, el pudor
en el vestir nace en la época moderna; es tridentino y
coactivo en los países católicos y puritano en los pro-
testantes. Pero, contra lo que se ha creído, no tiene
solamente un origen religioso. El historiador belga
Hoss van Ussel, en su *Historia de la represión sexual*,

intenta dar una explicación al proceso de la extensión del pudor y de la mojigatería. Y la primera de las causas para él es la demografía de la ciudad, su aburguesamiento, la preponderancia de unas clases que quieren figurar y que empieza a fines del siglo XVI. Según el profesor Van Ussel, en los pueblos primitivos, las civilizaciones griega, romana, e incluso en parte de la Edad Media, las gentes no sintieron jamás la sensación de disgusto ante su cuerpo ni ante el cuerpo de los otros hombres. Hasta el siglo XVI eran muchos los que comían juntos con una sola cuchara en un solo plato. Y en todos los tratados medievales dicen que es descortés poner el pan que ya se ha mordido en el plato común. También, como es sabido, podían bañarse en comunidad, desnudos, sin sentir vergüenza de su desnudez.

Solamente a partir del siglo XVII el hombre establece una distancia entre él y su propio cuerpo, con la moda de comer con el tenedor, que se inicia en el siglo XVII. Es según el profesor alemán Norbert Elias uno de los símbolos de este distanciamiento, lo es también tapar absolutamente el cuerpo, y ello se da en el siglo XVII. Era muy difícil entonces para un niño conocer las formas de una mujer, e incluso las de un hombre adulto, tales eran las faldas, basquillas, enaguas, verdugados y guardainfantes, según caso, o las calzas abullonadas, las gorgueras, las pelucas, las capas, guantes y sombreros en el otro.

El traje masculino

El traje masculino tiene dos características. Por un lado la lúgubre solemnidad del color negro para las fiestas de corte —pues para los cortesanos el negro era de rigurosa etiqueta—, y por otro, el rebuscamiento en el vestir de los «lindos»; los afeites, guedejas y copetes, su rostro tan lleno de mejunjes y embelecos como pudiera tenerlo una dama. La idea de la severidad del traje negro masculino se impone en el reinado de Felipe IV. Felipe IV, tan frívolo, hasta escandaloso, en sus costumbres, fue, en lo que atañe al vestir, de una austeridad total. Gustó del color negro en su traje, capa, sombrero y zapatos. No llevaba una sola joya y afectó siempre modales hieráticos. Como es natural, los cortesanos le imitaron y bien pronto se estableció que el único color del traje varonil para estar en la corte debía ser de color negro.

A ello contribuyeron también las premáticas contra el lujo. La primera, publicada en 1623, suprimió los aparatosos cuellos que parecían servir la cabeza en una rizada bandeja y la sustituyeron por las golillas, menos costosas y de menor embarazo. Los cuellos escarolados en el reinado de Felipe III —que era austero también, pero más tolerante en el lujo y la vestimentaria— habían llegado realmente a grandes abusos, como en la paralela época isabelina en Inglaterra. Últimamente estaban en auge los cuellos de inspiración flamenca, de simétricos encañonados, a cuyos rizos almidonados se los llamaba lechuguillas, y por extensión se llamaba así a los «pisaverdes», palabra que venía «de la metáfora tomada del que atraviesa un jardín y para no pisar las labores o no mojarse va andando de puntillas». No obstante su enorme incomodidad y su crecido coste, pues había cuello de estos que valía más de doscientos reales, se impusieron, aunque los poetas, maldicientes, los satirizaban constantemente, comparándolos con chimeneas, alcachofas, grandes coles, tubos de órgano, etcétera.

Quevedo, en *El sueño de las calaveras*, dice: «Vino un caballero tan derecho que, al parecer, quería competir con la misma justicia que le aguardaba; traía un cuello tan grande que no se le echaba de ver si tenía cabeza... Preguntándole qué pretendía, respondió: "Ser salvado." Y fue remitido a los verdugos para que le moliesen y él sólo reparó en que le ajarían el cuello.»

Todo ello fue prohibido por la pragmática de enero de 1623, que hubiera sido muy eficaz en su afán de reprimir el lujo si no hubiera estado seguido por la llegada subrepticia del príncipe de Gales Carlos Estuardo, que vino de incógnito pretendiendo casarse con la infanta María, hermana de Felipe IV. Las fiestas, regocijos, solemnidades, procesiones, bailes de corte, al que obligó la presencia del principesco pretendiente, relajó totalmente las sabias disposiciones del conde de Olivares. En lo que se refiere a los cuellos, esta disposición prohibía las lechuguillas a la flamenca y a la holandesa y mandaba que se trajeran cuellos sencillos, sin invención, ni aderezados con polvos azules o de color, ni con hierro. Se permitía, no obstante, el almidón en las valonas, para darles cierta rigidez. Infundía más vigor a esta prohibición el intento de supresión del oficio de «abridor de cuellos», es decir, quienes planchaban, almidonaban y ponían y sacaban los cuellos. La pena para quien tal hiciera era de destierro y vergüenza pública.

Tras la fuerza de esta pragmática de enero de 1623 salieron con valonas los reyes y sus altezas y fueron a la tarde así vestidos al Ángel de la Guarda. Felipe IV llevó la valona en sustitución de la gorguera, hasta que una enfermedad de la garganta, unas largas y purulentas anginas, hizo que se propusiera algo de más abrigo y con tal fin fue creada la golilla por un sastre madrileño. Ésta era como una valona armada sobre el soporte inferior del alzacuello de cartón, una vez almidonado, cerrado a modo de platillo que envolvía y oprimía la garganta, con lo que parecía que aquellos hombres estaban definitivamente decapitados. Este artilugio estaba forrado de seda blanca o gris y por fuera tenía una tela acomodada al color del coleto. La golilla se impuso a partir del otoño de 1624, pasados ya los regocijos de las fracasadas bodas de la infanta María y el príncipe Carlos Estuardo. Se extendió bien pronto entre todas las clases sociales. Así como nadie era admitido ante el rey si no iba vestido de negro, tampoco lo era si no llevaba la golilla.

Como cabía esperar, don Francisco de Quevedo comentó en marzo de 1623 estos capítulos de la pragmática donde se prohibía el cuello o lechuguilla abiertos con molde y el oficio de abrirlos con este soneto:

Rey que desencarcelas los gaznates,
rey que sacas los muslos de tudescos,

rey que resucitaste los greguescos,
lisonja al Cid, merced a los combates.

Rey sin chinelas, rey con acicates,
rey sin ahogo, rey de miembros frescos,
rey en campaña fuera de grutescos,
que postas corres, que favonios bates.

Miente quien se quejare por la gola,
pues son cabezas las que fueron coles,
y el hombre mortal el bulto tabahola.

No quieres ver en calzas de españoles,
cuchilladas, con verla con la sola:
humos quieres que tengan, no arreboles.

Así pues, el traje habitual de los españoles durante buena parte del siglo XVII estaba formado por un jubón que ceñía el cuerpo desde la cabeza a la cintura o bien un coleto sin mangas cerrado hasta el cuello que solía hacerse de gamuza y a veces de piel de búfalo y llevaba un forro guateado y una armadura de ballenas que le servía como coraza defensiva contra una posible agresión de espada, puñal o daga. El coleto o el jubón se cubría con una ropilla. Los greguescos o gregüescos, a los que alude Quevedo en el soneto que hemos reproducido más arriba, eran pantalones cortos, altos y tan holgados como bolsas. Las medias eran de algodón, lana o estambre. Estos greguescos estaban ceñidos por una banda con su tahalí para sostener en el lado derecho la daga y en el izquierdo la espada.

En las pantorrillas usábanse finas medias de seda negra o de buen hilo que cubrían a otras blancas interiores y eran sostenidas por unas ligas de cintas visibles al exterior formando una roseta. Estas ligas sujetaban el calzón, y por su delgadez —hablamos siempre de los refinados y preciosos— los abrigaba poco y en invierno, especialmente los ancianos, se ponían dos o tres pares unos sobre otros. Como era tan estimado por aquellas calendas un pie breve y una gruesa pantorrilla, muy a menudo se llevaba un relleno falso de la pierna y los zapatos de puntera cuadrada atados con cintas para hacer más pequeño el pie. Digamos que las medias de algodón, lana burda o pobre estambre, estaban reservadas a los artesanos y criados.

Los medieros y los vendedores de rellenos para las pantorrillas solían abrir tienda en las covachuelas de la iglesia de San Felipe el Real, en pleno mentidero de Madrid. Así lo asevera la comedia del corcovado e ingenioso Juan Ruiz de Alarcón *Las promesas*, cuando, hablando de un galán Sudama, se expresa así:

> *Dice (¡extrañas maravillas!)*
> *que cañas las conoció*
> *y sin milagro les dio*
> *San Felipe pantorrillas.*

Se tocaban, exceptuando los jóvenes muy afectados, de grandes sombreros—, desechada la gorra milanesa, que se había llevado en el siglo XVI—, de formas audaces y espectaculares. Durante el siglo se fueron transformando los chapeos, llegando a ser exageradísimos, de tal modo que en un entremés, *El guardainfante*, de Luis Quiñones de Benavente, compara las grotescas exageraciones de los sombreros masculinos con las del guardainfante femenino.

Otra cosa era el lindo, el pisaverde, el joven lucido a la moda. Cuando se ha de describir cómo vestía es necesario acudir a la obra de Juan Ruiz de Alarcón *El lindo don Diego*. Transcribo la descripción en prosa que Juan de Zabaleta —que fue, dicho sea de paso, el hombre más feo de Madrid— hace de la mañana de un caballerito a la moda en su obra *Día de fiesta por la mañana y por la tarde*, en su capítulo «El galán»: «Despierta el galán a las nueve de la mañana el día de fiesta, atado el cabello atrás con una "colonia" (cinta de dos dedos de ancha), que lo mismo la usan damas que galanes, diciéndose de las primeras que se ponían el pelo tan lleno de colonias que semejaba un jarrón florido. Pide ropa y dánsela limpia y perfumada. Pónese un jubón cubierto de oro... Cálzase luego y pónese unas medias de pelo de seda tan sutiles que, después de habérselas puesto con grande cuidado, es menester cuidado grande para ver si las tiene puestas... Ajústase en fin las medias nuestro galán a las piernas con unos ataderos tan apretados, que no parece que aprietan, sino que cortan. Llega el zapatero y saca de las hormas los zapatos y, a fuerza de tirones y torturas, le pone éstos. Pónese en pie el paciente, fatigado, pero contento de que los zapatos le vengan angostos. El zapatero agujerea las orejas del zapato, pasa la cinta, ajústalos y hace fuertemente el nudo. Hace la "rosa" después con más cuidado que gracia. Sale el zapatero, dejando a su dueño de movimientos tan torpes como si le hubiesen echado unos grillos.

»Entra el barbero, pide lumbre para los hierros y dice que pongan el escalador en la lumbre; le pone un peinador muy plegado, que es lo mismo que ponerle unas enaguas por el cuello.

»Rodea al "lindo" una toalla al cuello del peinador, en forma de muceta, y ajusta bien detrás de las orejas el cabello; echa el agua en la bacía, encájasela por la muesca en la garganta, y déjale la cabeza como cabeza degollada que llevan de presente. Coge los hierros calientes, atusa el cabello, y después de muchas tenazadas los deja tan enmarañados al rostro y tan aguzados de puntas, que más parecen fingidos con un pincel que aliñados con un hierro, semejándole así a cara de retrato. Terminada esta faena, el galán se lava las manos y pónese la golilla, que es como meter la cabeza en un cepo. Está la "golilla" aforrada en blanco, por dejar de la valona no más de algunos visos.

»Estréchase en la ropilla, muriendo por quedar muy entallado. En estando en esta fuerza metido en cintura, desenlaza la "colonia", que le aprisiona el cabello. Toma el peine de desenredar, y derrama en ondas por los hombros la guedeja.

»Echa la cabeza hacia atrás y ahuécase la melena en forma de espuma.

»Toma la espada; se la pone con la vaina abierta, a fin de tener más facilidad para sacarla a cualquier desafuero. Un criado le coloca la capa de bayeta, rodeada toda de puntas al aire...; tan erizada por dondequiera que da miedo tocarla con la mano. Toma luego el sombrero de castor labrado en París, tan negro y luciente como el azabache, y de crecido precio. Ordena con las manos las puntas de humo de la toquilla. Se pone el soro en la cabeza ante el espejo, en el que se hace el galán una risita al verse tan compuesto como lucido. El "lindo" deja el espejo, compone con ambas manos las faldas de la "ropilla" y empieza a caminar a la calle; vase a misa, y torna al paseo poniéndose los guantes de manopla bordados...»

Ceremonial del guante

No quisiéramos cerrar este breve examen de la moda masculina sin referirnos a los guantes, importantísima prenda que eran de muchas clases y de precios muy distintos. La gente normal los usaba de piel de perro. Los mejores guantes eran de gamuza, perfumados con ámbar, y algunos de ellos estaban bordados con hilo de plata y de oro. También había guantes de amplias vueltas, guantes de manopla, guantes descabezados con la punta de los dedos al aire para practicar la esgrima, guantes de viaje de piel de becerro. Los guantes se perfumaban con ámbar y era un delicado regalo que, como decimos en otro capítulo, era habitual que hicieran los hombres a las damas e incluso las altas señoras a los caballeros. No olvidemos que cuando vino el príncipe de Gales, Carlos Estuardo, a Madrid en 1623, la propia reina Isabel de Borbón le mandó como obsequio cien pares de guantes.

Eran, al parecer, muy estimados los guantes españoles en Europa, sobremanera en Inglaterra. Y no tan sólo por su confección, sino por el arte de perfumarlos. El dramaturgo Ben Jonson, el compadre de Shakespeare, en su obra *El alquimista*, lo confirma:

La titilación española en un guante
es al mejor perfume...

Titillation era la afectada palabra de moda de los ingleses —del latín *titillare*, hacer cosquillas— para designar los perfumes penetrantes y almizclados.

Llevaban, algunos por afectación, y la mayoría por necesidad, anteojos, de los cuales Quevedo inmortalizó una de las formas. Algunos lindos, y algunas damas que querían pasar por letradas, los llevaban por afectación. Así lo observó sir Richard Wynn en 1623: «En ningún lugar del mundo hay tanta gente como en esta ciudad de Madrid que se pasee por las calles, hable y coma con los anteojos puestos. De cada diez personas que uno encuentra, una tendrá un par de ojos de cristal.»

También se llevaban los relojitos de bolsillo, que debían de ser bastante caros porque el dramaturgo corcovado Juan Ruiz de Alarcón, que era al parecer regularmente avaro, afirma en su comedia *La verdad sospechosa*:

> *Malhaya, amén, el primero*
> *que fue inventor de relojes.*

Luego parece que se abarataron bastante. Y un personaje de Moreto se admira que hasta los sastres lleven relojes en su faltriquera.

La moda femenina

Se ha señalado como un tópico indiscutible la reclusión en que en principio vivía la española, tanto la soltera como la casada. Recato que es hasta cierto punto relativo, a pesar de las celosas normas de la sociedad española que el pueblo resumía con varios e ilustres refranes, casi tiránicos: «La mujer honrada, la pierna quebrada y en casa»; «la doncella y el azor, las espaldas hacia el sol»; «a la mujer y a la oveja temprano la encierra»; «a la mujer romera quebralla la pierna»; «la mujer a la mesa sujeta»; «la mujer honesta en la casa y no en su fiesta»; «mujer y la gallina, caserina»; «la moza y el fraile mal parecen en la calle»... Y así podríamos ir repitiendo centenares de refranes del XVI y del XVII convictos y confesos de misoginia.

No obstante, esto tenía que ver relativamente con la realidad. Las mujeres, aun las más honestas, podían salir de su casa de visitas, a la iglesia, a misa, a las romerías, a las fiestas, recibían en su estrado y a los galanes en la celosía, escuchaban las rondas y los guitarreros desde los balcones. Por otra parte, doncellas solteras, casadas, viudas aun de las clases más humildes, se componían y maquillaban como ninguna otra en Europa. Se enblanquecían las manos con toda clase de confecciones y mejunjes a las que se daba el nombre genérico de mudas, como veremos, así como hoy se los denomina cosméticos. Por esta razón, jugando el significado de la palabra «mudas», decía Tirso de Molina en *El vergonzoso en palacio*, dirigiéndose a las mujeres:

> *Sois mudables, ¿qué queréis?,*
> *si en señal deso os ponéis*
> *en la cara tantas mudas...*

La importancia, pues, de perfumes, trajes, pelucas y cosméticos señala que el refranero misógino era más una aspiración que una realidad. Se solía salir de paseo en coche, asistir a las procesiones, acompañadas sino de un pretendiente, de un galán, y siempre dispuestas a admitir el discreteo, el requiebro al que respondían con singular agudeza. Recibían regalos aun de desconocidos, cantaban y danzaban bien prendidas y de buen aire, puesto que nunca como en aquella época se gastó tanto, relativamente hablando, en el vestir.

Sólo los trajes femeninos, además de la pintura de Velázquez y de los ponderados pintores de su escuela y de otros de la escuela sevillana están en las descripciones de la literatura, especialmente la teatral y la de costumbres. Vicente Espinel, Francisco de Quevedo, Mateo Alemán, Miguel de Cervantes, Luis Vélez de Guevara, nos ofrecen datos curiosos sobre trajes, adornos, zapatos, guantes y manguitos. Y el costumbrista Juan de Zabaleta lo hace con una prodigalidad extraordinaria, como lo hemos visto en el caso del lindo que hemos reproducido anteriormente, cuando se trata de las mujeres en su día de fiesta por la mañana y por la tarde.

El pomposo guardainfante

Domina entre todos los atavíos, como emblema simbólico de la época, el guardainfante. La etimología de guardainfante me parece tan obvia que es ocioso describirla. Parece ser que la palabra aparece por primera vez en un soneto de Francisco de Quevedo. Fue una transformación del verdugado, una falda de origen francés, un tanto ahuecada, pero no tan exageradamente. El guardainfante recibió su nombre y floreció en toda su ufanía hacia 1634. Evidentemente, no lo conoció Sancho Panza, que cita el verdugado en varias ocasiones, entre ellas «el viaje del Parnaso», y más en la segunda parte del *Quijote*, que apareció, como es bien sabido, en 1615. Aparece en el gracioso y peregrino diálogo que Sancho Panza sostiene con su mujer Teresa acerca del futuro engrandecimiento de ellos y de su casa y del futuro marido, conde por lo menos, que destina el buen Sancho a su hija. Teresa Panza contesta: «Eso no, Sancho... casadla con su igual, que es lo más acertado, porque si de los zuecos le sacáis chapines, y de la saya parda de catorceno a verdugado y saboyanas de seda y de una marica y un tu, a una doña tal y señoría no se ha de hallar la muchacha y a cada paso en caer mil faltas descubriendo la hilaza de su tela basta y grosera.»

El guardainfante ya debió de ser bastante importante en 1637 cuando la noticia anónima nos previene, adusta: «El traje de los guardainfantes se usa con tanto desatino y exceso que apenas caben las mujeres de anchas por las puertas de las iglesias. Este contagio ha pasado también a los estudiantes y licenciados, que los traen debajo de sus lobas y sin duda serán presto imitados por los frailes si de una vez el mal no se ataja en sus principios.»

El célebre guardainfante era, según el *Diccionario*

de *Autoridades*, «un artificio muy hueco hecho con alambres, con cintas que se ceñían las mujeres en la cintura y sobre él se ponían la "basquiña"». Una definición mucho más brutal e intencionada la da el escritor teatral, tan calderoniano, don Francisco Rojas Zorrilla en su drama *Los tres blasones de España*:

> *¿Qué es guardainfante?*
> *Un enredo para ajustar a las gordas;*
> *un molde de engordar cuerpos;*
> *es una plaza redonda*
> *a donde pueden ir los diestros*
> *entrar a jugar las armas*
> *por lo grande y por lo extenso;*
> *es un encubre-preñadas,*
> *estorbo de los aprietos,*
> *arillo de las barrigas,*
> *disfraz de los ornamentos;*
> *y es, en fin, el guardainfante*
> *un enjugador perpetuo,*
> *que está secando la ropa*
> *sobre el natural brasero.*

Don Juan de Zabaleta, agrio y moralista, nos previene del guardainfante en el capítulo II de «El día de la fiesta por la mañana» (*Obras históricas, políticas, filosóficas y morales, escritas por... Con el día de fiesta por Mañana, y Tarde, y los Sucesos que en él passan*, Madrid, Antonio Gonçalez de Reyes, 1692): «Éste es el destino más torpe en el que el ansia de parecer bien se ha caído. Si una mujer tuviese aquella redondez de cuerpo desde la cintura abajo, ¿hubiera quien se hubiera atrevido a mirarla? Ponerse postizo un defecto ¿puede hacerlo sino quien esté sin juicio? Ponerse postizo un ojo, vaya, porque los ojos son hermosura; pero ponerse una hinchazón contrahecha, ¿quién lo puede hacer que no esté fuera de tino?... Échase sobre el guardainfante una pollera con unos ríos de oro por guarniciones. Ponerse sobre la pollera una basquiña con tanto ruedo, que colgada podía servir de pabellón. Ahuécasela mucho, porque haga más pompa, o porque coja mucho aire con que hacer su vanidad mayor.»

Francisco de Quevedo escribió este soneto sobre el guardainfante:

> *Si eres campana, ¿dónde está el badajo?*
> *Si pirámide andante, vete a Egipto;*
> *si peonza al revés, trae sobre escrito;*
> *si pan de azúcar, en Motril te encajo;*
>
> *si chapitel, ¿qué haces acá abajo?*
> *Si de disciplinante mal contrito*
> *eres el cucurucho y el delito,*
> *llámense los cipreses arrentajo.*
>
> *Si eres punzón, ¿por qué el estuche dejas?*
> *Si cubilete, saca el testimonio;*
> *si eres coraza, encájate en las viejas.*
>
> *Si buida visión, de san Antonio,*
> *llámate doña embudo con guedejas;*
> *si mujer, de esas faldas al demonio.*

Como es natural, el guardainfante incitó las iras más feroces de los oradores sagrados y de los moralistas. Alonso de Carranza en 1636 escribió su *Discurso contra los malos trajes y adornos lascivos*, donde opone todos los argumentos posibles contra aquellos excesos rozagantes. Empieza por el económico, expresando la mucha tela que debe gastarse y los dispendios de almidón para las prendas interiores que han de sostenerlos, y con su brizna de demagogia añade: «Pudiendo el trigo que en esto se pierde servir para sustento de muchos necesitados.» Aporta luego los argumentos morales: «Con lo pomposo de las enaguas, polleras, verdugados y guardainfantes con faldellines de telas ricas de oro y otras telas de seda, con chapines resplandecientes, medias, ligas, zapatos y zapatillas y rosas muy pomposas, son el sambenito que Dios echó a los hombres por el pecado.» A continuación las llama «tartanas a viento lleno e incesantes navíos». Finalmente, queriendo remachar el clavo de este penoso y pesado, feo y desproporcionado guardainfante, lanza el argumento de la salud. Porque, según él, «la pompa y anchura de este nuevo traje es llano que admite mucho aire y frialdad, que envía al útero, donde se fragua el cuerpo humano y le convierte inepto para la generación».

En 1639 toma cartas en el asunto el gobierno del conde-duque de Olivares y el propio rey. Se publica una entonada pragmática que dice: «Manda el rey, nuestro señor, que ninguna mujer, de cualquier estado y calidad que sea, no pueda traer ni traiga guardainfante u otro traje semejante, excepto las mujeres que con licencia de las justicias públicamente son malas de sus personas y ganan por ello, a las cuales solamente se les permite el uso de guardainfantes para los que puedan traer libremente y sin pena alguna, prohibiéndolos como se prohíben a todas las demás.» El argumento era de peso, puesto que si la pragmática hubiera tenido el menor éxito, las mujeres honradas y las damas de la corte se hubieran confundido con las cortesanas, las damas de manto tendido y las putas troteras. Pero no fue así. Los sastres de la corte, casi siempre de sangre desarreglada, judía o morisca —eran hombres quienes confeccionaban y les probaban la ropa interior y los vestidos a las damas, cosa sorprendente en una época tan pudibunda—, continuaron extasiándose en sedas, tafetanes, tabíes, lamas, rasos y demás sedas carísimas con las que hinchaban las faldas. Y cuando Felipe IV casó por segunda vez con su sobrina, Mariana de Austria, la afición de ésta por los guardainfantes era tal que no hubo manera de contener la moda que duró casi medio siglo.

Digamos que, muerto de muerte natural y enterrado en sigilo el guardainfante, tuvo como el ave fénix algunas resurrecciones. El tontillo, usado en el siglo XVIII, que los franceses llamaban *panier*, y el miriñaque y el polisón en el siglo XIX.

Otras piezas eran la pollera, que estaba armada sobre un ingenio para ahuecar la vestidura exterior y se armaba con aros de alambre, trapo y a veces madera, se llamó pollera por su semejanza con el cesto en que se crían los pollos, invertido, naturalmente. El cuerpo se cubría con la basquiña, que si estaba abierta por delante se la llamaba saboyana, al uso de los trajes típicos de las mujeres de Saboya.

Otra falda era el guardapiés, que, contraviniendo su nombre, descubría las extremidades, cosa que alborozaba a los galanes, pues era una falda más corta que las otras. Al igual que en los varones, la ropa de las mujeres podía ir guarnecida a cuchilladas, o sea con unas aberturas donde asomaba en bullones otra tela rica y de vivo color que hiciera un suntuoso contraste con el vestido.

Los bullones podían ser escotados y entonces se los llamaba el escote degollado, cosa que estaba singularmente prohibida por la pragmática que hemos citado anteriormente de 1639, ya que esta exhibición de los encantos del seno se reservaba para las mujeres que comerciaban con sus cuerpos.

Los breves pies y sus chapines

Era de moda tener los pies lo más pequeños posible y las manos, en cambio, lo más largas y afinadas que cupiera. Las españolas tuvieron siempre fama de poseer pies pequeños, y las damas del XVII los tuvieron, entre otras cosas porque apenas si caminaban. Durante los siglos XV, XVI y XVII hubo estirpes de mujeres prácticamente inmóviles, sentadas eternamente en los cojines del estrado, a la morisca, caminando brevemente, circulando siempre en litera, silla de mano o carroza. Por aquellos años se impone el chapín, que era un calzado artificioso sobrepuesto al zapato e imaginado «para levantar el cuerpo del suelo», según la pintoresca definición del *Diccionario de Autoridades*. Por esta razón era notable la elevación de sus tacones, con lo que las damas suplían las estaturas generalmente breves que les había dado la naturaleza. Las suelas eran de capas de corcho y había quien llevaba siete, ocho, y aun nueve láminas o capas de esta materia. Estos zapatos se denominaban chapines, palabra que un glorioso gramático, el padre

Alcalá, pretendía que derivaba de *chapin*, que en arábigo significa alcornoque. Era calzado de mujer adulta. «Ponerse en chapines» era a la vez la señal y marca de salir de la infancia, y calzándolos quería decir hasta cierto punto que ya un adolescente entraba en el mundo de los requiebros y en las posibilidades del casamiento. La exageración en la altura de los chapines fue extraordinaria. Así lo dice Tirso en su obra teatral *El celoso prudente*:

> *Chapines he visto yo*
> *de corcho y altura tanta*
> *que a una enana hacen giganta.*

Poniendo coto y mesura a los chapines tan eminentes —que hacían caer a las damas que se bamboleaban sobre ellos casi como si anduvieran sobre zancos—, el Consejo de Castilla ordenó que los chapines no bajaran de cinco corchos, pero no pasaran de ocho. Las mujeres de menos calidad llevaban las chinelas moriscas y los zapatos de ponleví y para las campesinas quedaban los zuecos. Los ponleví eran unos tacones de madera. La palabra «ponleví» venía de *pont-levis*, puente levadizo en francés. Y, por extensión, se pasó el nombre del zapato. En *El diablo cojuelo* se dice que la mulata Rufina «iba en jubón de holanda blanca, acuchillado con unas enaguas blancas de cotonía, zapato de ponleví con escarpín sin media, como es usanza en esta tierra —se refiere a Sevilla— entre la gente tapetada». Digamos que cotonía era un basto algodón que usaba la gente de color, negra o mestiza, que se motejaban también de tapetados. Así pues, los zapatos de ponleví eran de poca consideración. El padre Valdivieso, al escribir su aprobación a las *Rimas de Tomé de Burguillos*, seudónimo que Lope de Vega usaba para dar estampa a sus composiciones festivas, decía que «las musas habían depuesto los coturnos severos y calzádose los ponlevíes desenfadados; y no digo zuecos —añadía el padre Valdivieso—, por ser propios de mozas desaseadas».

Si las sedas, rasos y tafetanes se reservaban para las grandes damas, la bayeta y el anascote eran para los vestidos monjiles o monjilones, que también así se les decía y para las gentes pobres, para los hábitos de viudas pobres y para la gente más económicamente débil. Detengámonos un momento en las viudas, que eran muy numerosas y de muy diversas edades y condiciones. El luto obligaba a un traje severo y convencional. Pero si las viudas eran jóvenes vestían a lo que se llamaba el «luto galán», que indicaba que querían, a poder ser, volver a tomar estado matrimonial. Y entonces, en lugar de bayetas o picotes, usaban sedas, aunque fueran algo ordinarias, como la capichola, gorgorán, sarga y tercianelas, que eran nombres de distintas variedades de la sedería.

Hemos de referirnos aunque sea brevemente a las telas del atuendo femenino. La primera, la más cara, la más deseada e ilustre era el terciopelo. Y era muy estimado el que se elaboraba en toda Granada. En particular el terciopelo de seda granadino de color carmesí, que podía ser liso o rizado. Así, Lope de Vega escribe en su comedia *Santiago el Verde*:

> *Para vos me dio Granada*
> *el más fino carmesí.*
> *Italia, rico tabí,*
> *diversas telas Milán.*

Otra rica tela era el brocado, cuyo nombre viene por las brocas o rodajuelas en que se colocaban los hilos o torzales de seda y oro para tejerlo. Era importante el número de urdimbres que tenían y muy preciados si eran tres o cuatro. Andando el siglo, el brocado llegó a ser muy caro, y por este mismo asunto fue quedando raro y relegándose para trajes de ocasiones muy solemnes. El rico e inalcanzable brocado fue sustituido por el tabí, el chamelote y el carmesí, que se tejían en seda gruesa, especialmente los dos primeros, en los que, con una prensa caliente, se estampaban flores o aguas del mismo color de las telas, y así había de éstas lisas con aguas o jaspeados y flores. También se entretejían con plata y oro fino. El carmesí o carmesín era la seda teñida de color púrpura.

Apreciada como el tabí o el carmesí estaba la lama, que era una tela que estaba solamente tejida por una cara en oro y plata siempre. En el entremés *Los pareceres* de Luis Quiñones de Benavente, leemos sobre la lama:

¿Qué invención o qué tela es esta, lama,
mujeres que a los hombres afligidos,
apura el lama, los dejáis lamidos?

¿Qué tabíes son esos que se usan
que por daros tabí, damazas bravas,
ellos se quedan en las puras tabas?

¿Qué telas escarchadas son aquestas
que dejan con su escarcha, cruel verdugo,
una bolsa más tiesa que un besugo?

Telas de menos calidad aunque labradas en sedas también eran el raso, la catalufa, que era un tafetán doble labrado y la primavera, así denominada porque estaba sembrada tradicionalmente de flores de diversos colores.

De seda eran también la capichola y el burato, que este último se podía también hacer de lana y era leve, propio para los lutos en verano; y el gorgorán, el tafetán, la sarga, la maraña, la media seda, el urbión y la tercianela, que eran elaboradas con sedas inferiores.

Los mantos y las tapadas

La tapada entera, la tapada a medio ojo, es una silueta característica de las españolas del siglo XVII. No se puede ocultar que esta costumbre de ir las mujeres tapadas era en Andalucía por varias causas: la primera por el recato que exigían las leyes mahometanas, la segunda por proteger el cutis del sol —que era peligro de no desdeñar—, y, luego, la tercera, y para justificarlo todo, en la época tridentina era signo de modestia para evitar las pecaminosas y vitanda taciones en el sexo fuerte.

En consecuencia, la mujer tapada de rostro era una manera de poner en seguro el pudor, la virtud y el recato de las doncellas, la fidelidad de las casadas y la pudibundez de las viudas. Y, como suele suceder siempre, todo ello degeneró a la fin y a la postre en un solapado instrumento de corrupción, en máquina de engaños, en disfraz hipócrita del vicio cuando las mujeres, las cortesanas y las trotonas decidieron ir por la calle tapadas y pisando fuerte.

No obstante no creamos que el manto fue exclusivo de Andalucía, de Madrid o de España. En aquella época fue general en toda Europa. Pero no era una institución como lo fue en España. Porque entre nosotros, el manto, cuando la tapada lo era por virtud, cubría enteramente la cabeza de la mujer. Pero, andando el tiempo, las tapadas, sobre todo en la segunda mitad del siglo XVII, dejaron al descubierto una parte del rostro, en especial los ojos, que tanta fama tenían de tenerlos bellos y con frecuencia sólo descubrían uno que era una provocativa coquetería. Entonces se las llamaba «tapadas de medio ojo». La tapada de medio ojo que Quevedo transforma en el caso de la prostituta ventanera, nocturna o callejera en «lechuza de medio ojo» no se inventó en España. El rey Salomón en el *Cantar de los Cantares* se lamenta, amoroso: «Robaste mi corazón, hermana mía, esposa; robaste mi corazón con uno de tus ojos, con un sartal de tu cuello.» Y el ser costumbre de influencia musulmana lo afirma claramente Tirso de Molina en su comedia *Amor médico*:

> *¡Oh, medio ojo que me aojó!*
> *Oh, atisbar de basilisco,*
> *de tapada a lo morisco.*

Las cortes de Castilla, los alcaldes de Casa y Corte intentaron solucionar el problema de las tapadas que dio origen a tantos escándalos. Pero ocioso es decir —y estas consideraciones se van repitiendo en todo en lo que atañe a las costumbres de la época—

que ni las leyes promulgadas en 1594 por Felipe II ni las de Felipe III en 1600, ni las de Felipe IV en 1623, surtieron el menor efecto. Estas leyes no contaban con que el tapado era consecuencia de un sistema ético y social, sólo destinado a transformarse cuando cambiaron las causas que lo habían originado. O sea, la rigurosa represión sexual externa. Llenos de tapadas, miradas, mantos, señas con abanicos, están aquellas graciosas comedias de capa y espada de Calderón de la Barca, algunas verdaderos retratos concisos, gentiles y no poco irónicos de la clase media de la época. El tapado duró todo el siglo hasta que, con la venida de los Borbones, se relajaron lenta, paulatinamente los usos y tratos amorosos.

La tapada, furtiva, hecha un ovillo, liada con su manto, permitía notables abusos: mujeres que se escapaban de casa y se dedicaban a la galantería anónima, o bien hombres disfrazados de mujer, ya fuera para galantear a otras o a otros.

El caso es que esta especie de máscara perpetua, como el antifaz veneciano sería en el XVIII, tolerada en la vida cotidiana de las calles de una ciudad más temerosa de parecer corrompida que de serlo, resistió a cuantas leyes, pragmáticas y reglamentos dictaron monarcas, magistrados, altos consejos en España y en Indias. La institución del tapado duró desde la segunda mitad del siglo XVI hasta algo entrado el siglo XVIII. Así, la pragmática de 1623 fue renovada por Felipe V en 1639 y cinco o seis veces durante el reinado de Carlos II, que no consiguió tampoco desterrar esta costumbre. La resistencia de las mujeres a no renunciar a su tapado fue extraordinaria y quisiéramos recordar, aunque no hubiera acaecido en España, el motín de las limeñas, en el Perú, en favor del tapado, una de las rebeliones más gentiles, graciosas y coreográficas que se conozcan. Efectivamente, un concilio celebrado en Lima en 1583 desterró el tapado. Se resistieron las mujeres a cumplir la prohibición y, en 1606, como el virrey marqués de Montes Claros intentara imponerla por la fuerza, hubo un bravo motín encabezado por las damas más distinguidas de la ciudad, que pagaban la multa y seguían tapándose hasta en las solemnes procesiones de Semana Santa.

Como curiosidad digamos que el tapado llegó, ya muy pasado de moda, hasta la época de Carlos III, y en su pragmática del 28 de junio de 1770 la prohibición de usar otros mantos y mantillas que no fueran de seda y lana y en la cabeza solamente, fue aceptada. Había pasado mucho tiempo. Las damas de la corte tenían un «cortejo» obligatorio por castas que fueran y enamoradas de su marido que estuvieran. Las costumbres se habían relajado. España comenzaba a ser ya otro mundo.

CAPÍTULO IV

LOS ESPAÑOLES ANTE EL ESPEJO

Si el siglo XVII es en Madrid, como en todo el resto de España, el siglo de las tapadas, de los mantos, de los recatos, las mujeres sentadas a la morisca en su estrado, de los desafíos bajo las ventanas y celosías, lo es como hemos señalado de las modas pomposas y de los afeites más espectaculares. Y antes de ocuparnos brevemente de ellos, hemos de decir que jamás la española pintarrajeó su rostro, tiñó sus cabellos y cuidó de sus manos inútiles, embelleció sus ojos, estudió su manera de andar y sus gestos más que en esta época, en este mundo ceremonioso y popular que estamos describiendo.

Importantísima e insoslayable se consideraba la presencia del peluquero o de las doncellas peinadoras en la vida de una dama. Como es natural, no vamos a recoger todas las distintas variaciones, casi arquitectónicas a veces, monumentales, del cabello en el transcurso de cien años. Pero, en principio, diremos que siempre fueron partidarias las grandes damas que dictaban la moda de largas cabelleras y a poder ser rubias. Así lo exclama, con voz popular y admirada Sancho Panza, en la segunda parte del *Quijote* y en las bodas de Camacho el Rico al ver la cabellera de la hermosa Quiteria: «Oh, y de hideputa, y qué cabellos que si no son postizos, no los he visto más luengos y más rubios en mi vida.» Y añade «... que iba acompañado de doncellas hermosísimas tan mozas que al parecer ninguna bajaba de catorce ni llegaba a dieciocho, vestidas todas de palmilla verde, cabellos en parte sueltos y en parte trenzados, pero todos tan rubios que no podían tener competencia».

Igualmente, Lope de Vega ensalzó los rubios cabellos de su amada Lucinda, escribiendo:

> *Los cabellos que tenía*
> *por encima de la frente*
> *eran oro y sol de oriente*
> *que por el viento esparcía.*

Insistamos en que los rubios cabellos fueron la pasión de las épocas medievales, afición que se acrecentó en los siglos XIV y XV y se hizo casi una norma de belleza en el XVI. De ello vienen todas las infinitas invenciones cosméticas que escandalizan a los moralistas, dan de vivir a peluqueros y enriquecen a los perfumistas. Amén que arruinan no pocas cabelleras de bello color natural, ya sea trigueño o negro como el azabache. Sólo a la mitad del siglo los poetas empiezan a demostrar una cierta sensibilidad por el pelo negro. Doña Catalina Clara de Guzmán es la primera en elogiarlo en una loa a una señora amiga suya:

> *Es un mar de Guinea su cabello*
> *que en negras ondas se dilata bello*
> *mas ¡qué bozal apodo!*
> *Vaya, pues, su cabello de otro modo:*
> *madeja de azabaches es su pelo*
> *que Venus con desvelo*
> *hiló, según colijo,*
> *para las cuerdas del arco de su hijo.*

Digamos que las escritoras admiraron mucho el cabello de sus semejantes. Otra escritora, la novelista doña Mariana Carabajal, nos describe a una de las protagonistas de su libro *Navidades de Madrid y noches entretenidas*, que tenía «el pelo de vara y media de largo, y lo disponía en menudos rizos, haciéndose después copete y guedejas».

Era frecuente que toda esta mata de pelo —curiosa imagen que llega hasta nuestro siglo— se sometiese dócilmente a los mayores artificios, ya fuera formando un casquete por exterior de pequeño y alto moño sujeto con cintas de seda que eran llamadas colonias. Trenzas y bucles caían en cascada por detrás o se agrupaban por los lados. A veces se rizaba el cabello en forma de bandas que tapaban las orejas y se recogía el pelo en una especie de jaulilla que era una red cubierta de gasas o para ahuecarlo y aumentarlo. También se usaba del artificio del perico, que era un adorno de pelo que se ponía en la parte anterior de la cabeza sosteniéndola como sobre un armazón. Su artificio era el llamado «almirante», que tomaba el nombre por haberle introducido en España las hijas de un almirante, según el desabrido jesuita Baltasar Gracián, aunque no da sus nombres. Uno de los problemas con el miriñaque era que la cabeza no quedara exageradamente diminuta y la adecuaron en relación con el resto de la figura. Por esta razón se hizo más espectacular el peinado. Se dividió en dos porciones, se llegaron a poner rodetes, lazos, pericos y lo que se necesitara. Una de las obsesiones, por otra parte, era que la frente fuese amplia y desembarazada. En Madrid se medía el talento por la anchura de la frente, y así «no tener dos dedos de frente» equivalía a ser medio tonto. En el elogio burlesco de la belleza de una dama, Francisco de Quevedo señala:

La frente, mucho más ancha
que la conciencia de escribano.

Amén de ello debía ser la frente blanquísima para poderla comparar casi ritualmente con la nieve. Así, Calderón de la Barca lo expresa en una de sus comedias:

Quien se abrasa no sabe
dónde hallar nieve,
sepa dónde ella vive
que allí está en frente.

En la frente debían estar pintadas las cejas, que debían estarlo con primor, ni muy gruesas ni muy sutiles, como lo expresa Agustín de Moreto en su comedia *El poder de la amistad*:

> *Sus cejas son con primor*
> *arcos llenos de despojos*
> *del triunfo de su rigor;*
> *que estos arcos hizo Amor*
> *a la entrada de unos ojos.*

Los ojos debían ser grandes, y a ello iban inclinados todos los artificios de pinceles y coloretes. Un refrán de un viejo soldado resumía este importantísimo asunto: «Cejas negras y ojos grandes: no hay más Flandes.»

Los ojos y la mirada

Además importaba, por lo tanto, el tamaño y la brillantez de los ojos, que también había preferencias entre los ojos verdes, los negros o los azules. Del Renacimiento venía el gusto por el misterio de los ojos verdes. Así eran los ojos de Melibea, la enamorada del gallardo Calixto en *La Celestina*: «Los ojos verdes, rasgados; las pestañas, luengas; las cejas, delgadas y alzadas.» Y en el siglo XVII Lope de Vega, conocedor de tanta belleza y amador de muchas mujeres, exaltó los ojos verdes de su Marta de Nevares en varios poemas de arte mayor y en esta pequeña canción:

> *Amatistas y zafiros*
> *ser esmeraldas quisieran,*
> *para tener sobre tus ojos*
> *sobre el color competencia.*

Claro que esta pasión por los ojos verdes debió cifrarse también su origen en su rareza, puesto que el *Refranero*, que traduce más la verdad que la simple poesía, insiste: «Ojos verdes en pocas mujeres»;

«Ojos verdes en duques y a reyes»; «Ojos garzos no los hay en todos los barrios»; «Ojos negros, muladares llenos»; «Ojos zarcos, perros y gatos».

Después de los ojos verdes se tenían por exquisitos, raros y preciosos los ojos azules:

> *Ojos verdes son la mar,*
> *ojos azules, el cielo,*
> *ojos castaños, la muerte;*
> *y ojos negros, el infierno.*

Pero no creamos que a pesar de ello se despreciaban los ojos negros, tan abundantes y tan propios de las españolas de prácticamente todas las regiones. Así, en *El libro de todas las cosas y otras muchas más* se lee esta sentencia grave y desengañada: «Ojos verdes y azules parecen pájaras y no mujeres». Lope de Vega, que era ecléctico, también elogia los ojos negros, en boca del protagonista de su comedia *El hombre por su palabra*:

> *Entre estas flores, Amor*
> *estaba una vez durmiendo;*
> *débil yo de pisar;*
> *es áspid, todo es veneno.*
> *Matóme con unos ojos...*
> *negros sospecho que fueron*
> *que es la color victoriosa*
> *de cuantos el cielo ha hecho;*
> *porque si los garzos llaman,*
> *los verdes piden respeto,*
> *los zarcos son amorosos*
> *y los pintados, soberbios;*
> *y si los azules ruegan*
> *vestidos de blanco hielo*
> *los negros mandan, que son*
> *siempre señores los negros.*

Ya elogiados debidamente los ojos, había el problema de la forma de mirar. Nunca como en el siglo XVII, el de los recatos, de los requiebros, del lenguaje amoroso de los ojos, de la elocuencia del pañue-

lo o el abanico, se estudió mejor el mirar. Los amantes se contemplaban de hito en hito, a veces con los
ojos fijos, a veces pestañeando repetidamente, guiña-
ban los ojos, alborotaban las pestañas, tornaban la
mirada, se llenaban sus niñas de lágrimas o de risa.
Hubo un tiempo —en los años veinte del siglo— que
estuvieron de moda los ojos ensoñados que miraban
medio dormidos, insinuantes y como provocadores y,
a veces, como dulcemente desarmados. Los entorna-
ban de una manera excesiva, sobre todo si la dama
los tenía negros, bellos y de mirar aterciopelado. Así
explica este mirar lánguido, que se extendió en la
corte, en las calles y hasta si nos apuran en las mancebías, Lope de Vega en su obra *La discreta venganza*:

Con unos ojos dormidos
nació una hermosa mujer,
señor, en nuestra Lisboa
y viéndola celebrada
las mujeres, fue envidiada
su fama, que aun hoy se loa;
y por pensar agradar,
ha dado en traer fingidos
esto de ojuelos dormidos...
digo, a medio despertar.

Y proseguía Lope de Vega con los visajes y artificios que tenían que hacer para llegar a este adormi-
lamiento de la mirada:

Unas se fingen bisojas,
otras, bizcas; otras tuertas;
otras templan las compuertas,
o les dan las congojas.
Otras no ven a tomar
lo que les dan... Pero miento
porque a tomar, aun con tiento
cualquiera sabrá acertar.
Otras, con ojos saltados,
son carneros mortecinos...
En fin, por varios caminos,
todas traen ojos plegados.

Así, con estas miradas dormidas, el poeta, novelista y burlón ecijano Luis Vélez de Guevara pudo decir con gruesa zumba que «los ojos roncaban hermosura». Y tanta fue la exageración en la languidez de la mirada y en el entreabrir los ojos que, hacia la década de los treinta del siglo, se opuso a esta moda la más opuesta, la de llevar los ojos demasiado abiertos, redondos, como espantados, saltones como un pescado expirante. Así lo explica Pedro Calderón de la Barca en la segunda jornada de *Eco y Narciso*:

> *Un tiempo que se dieron*
> *en los ojos dormidos*
> *no hubo hermosura despierta*
> *y todo era mirar bizco.*
> *Usáronse ojos rasgados*
> *luego, hirieron en abrirlos,*
> *tanto que de temerosos*
> *se hicieron espantadizos.*

Los cánones de la belleza en el rostro de la mujer exigían que las mejillas fueran rosas. De ahí las bermejas y escandalosas manchas de colorete. Los más refinados creían que tenían que estar discretamente mezcladas de rosas rojas y nieve. Así lo escribía el poeta murciano Jacinto Polo de Medina, irónico y suspirante, que dice en su *Fábula burlesca de Dafne y Apolo*:

> *No las ha de menester en las mejillas*
> *porque para decir sus maravillas*
> *baste decir que están encarnadas,*
> *como de haberles dado bofetadas.*

La nariz y la frente

Otra cosa era la nariz, que tenía que ser afilada —la nariz afilada y ancha la frente eran todavía los cánones de la belleza de la mujer del siglo pasado—. Y malo era tenerla prominente, fuera aguileña o bulbosa, espolón de galera o pirámide de Egipto. Pero mucho peor era ser desnarigada y chata, puesto que la ausencia de nariz, sobre todo en las mozas del partido y en mujeres de rompe y rasga, era estigma tanto de enfermedades venéreas como de sañudas justicias: solían desnarigar y desorejar a los ladrones. La presencia de una cierta nariz decorosa, algo eminente, daba dignidad al rostro. Así lo decía Quevedo:

> *Nariz es señal de vivo,*
> *no nariz señal de muerto,*
> *sin ella está retratada*
> *la engullidora de huesos.*

Lo que más apreciaban los madrileños de la época era una nariz discreta, un tanto altanera y feudal, no exagerada, como el madrileñísimo Tirso de Molina dictaminó:

> *En proporción las narices*
> *ni judaizantes ni chatas*
> *ni nabo por corpulentas,*
> *ni alezna por afiladas.*

La boca debía ser pequeña, y en esto sí que se muestran todos los poetas inapelables; los labios de grana y la boca menuda y los dientes, diminutas perlas, era la moda desde el siglo XV y duró hasta bien entrado el siglo XVII. Pero Pedro Calderón, que fue un hombre que gustó de las mujeres, constata a mediados de siglo que las bocas más grandes se están poniendo de moda. Y así, en su comedia titulada *Eco y Narciso*, suelta este puntillazo:

> *Las bocas chicas entonces*
> *eran de lo más valido,*
> *y andaban por esas calles*
> *todas, los labios fruncidos.*

> *Dieron en usarse grandes,*
> *y en aquel instante mismo*
> *se desplegaron las bocas*
> *y, dejando lo jarizo*
> *de lo pequeño, pusieron*

su perfección en lo limpio
de lo grande, hasta enseñar
dientes, muelas y colmillos.

Dijimos que fue moda siempre el pie pequeño, uno de los orgullos de las españolas —tan loado por los viajeros extranjeros—, y los guardainfantes y verdugados ocultaban sus pies. En cambio, el guardapiés, por encantadora paradoja, los dejaba ver. Hubo una idolatría por los pies, y mostrarlos desnudos una dama a su galán era el mayor favor que podía hacerle. Y estos pies blancos, pequeños y leves, debían pisar bien poco sobre la tierra como el poeta preciosista, casi rococó, Álvaro Cubillo, escribe en el último acto de *El invisible príncipe del Baúl*:

Melindre en forma de pie,
pie sin puntos, pie que calza
por horma de su zapato
una almendra confitada;
pie que solamente es pie
porque pisa, si bien pasa
por la nieve, sin temerla
por las flores, sin ajarlas.

Esto del pisar menudito y sin apenas quedar marca ni hacer ruido está explicado en la maravillosa canción de Lope de Vega escrita en la época de sus amores valencianos de aquella ciudad que se resistía a abandonar la alegría del Renacimiento:

Si os levantáis de mañana
de los brazos que os desean
porque en los brazos no os vean
y alguna afrenta liviana,
pisad con planta de lana
quedito pasito, amor,
no espantéis al ruiseñor.

Con todo ello, lo importante era, si bien las mujeres caminaban poco, que lo hicieran de buen aire, como se decía graciosamente entonces. Ello venía de antiguo. Petrarca, en uno de los *Sonetos in vita de madonna Laura*, que es el verso que más influencia ha tenido en la descripción de la belleza femenina de los siglos posteriores, ya que habla de los cabellos de oro esparcidos como un aura, escribe sobre su amada:

> *Non era l'andar sua cosa mortale*
> *ma d'angelica forma...*

Y así podría acabar la paciencia del lector citando alusiones sobre el placer tan honesto y libérrimo de andar con gracia, pues no fue solamente una manía de poetas. Los espíritus más avisados sabían que el caminar bien era importante, incluso para llegar a ser un hombre selecto en la corte. Leía recientemente en un austero castellano, Juan de Silva, conde de Portalegre, que murió hacia 1601, que en la apretada prosa militar de su instrucción a su hijo cuando le envió a la corte escribió las palabras siguientes: «Cuanto a los ejercicios corporales cuatro son los más importantes y necesarios: haceros un buen nombre a caballo en ambas sillas, comenzando por la jineta; jugar a las armas diestramente, tirar al arcabuz y a la ballesta, y danzar con soltura. El danzar aprovecha para estar y caminar de buen aire y hacer reverencias sin desgracia y así viene a ser más necesario de lo que parece y así lo es más en cualquier tiempo que hubiere damas. No os descuidéis de aprenderlo con curiosidad.» Así pues, caminar de buen aire era importante para la educación de aquel grave y solemne toledano y para ello le instaba que estudiara la danza.

Todo ello iba ligado con una grave gesticulación, para lo cual jugaban extraordinariamente las manos. Porque si los pies debían ser breves, las manos en cambio tenían que ser grandes, largas, finas, blancas, espirituales. «Las manos más largas como ahora se usan», se lee en el *Quijote*. El Buscón de Quevedo se encalabrina ante una niña «blanca, rubia, colorada, boca pequeña, dientes menudos y espesos, buena nariz, ojos rasgados y negros, alta de cuerpo, lindas manazas y zazosita». Ésta era la moda y para ello, como se ve en los cuadros de Velázquez, de Pantoja de la Cruz, de Carreño de Miranda, de Mazo el joven, de Juan Bautista Mazo, las mujeres arrebozan sus muñecas, hacen cortos los brazos de sus ropas para que lo que va entre la muñeca y la mano quede de la amplitud deseada. Así lo dice el poeta Rey de Artieda en su carta a Leonarda:

> *La mano poderosa, larga y blanca,*
> *que si el pesar en l'alma echa raíces*
> *del alba dulcemente las arranca.*

La española ante el espejo

Posiblemente nunca como en el siglo XVII la mujer se acicaló tanto, fue más complicada y experta en el arte de lo que hoy se llama maquillaje y que entonces se denominaban los afeites. Todos los viajeros están de acuerdo en que las mujeres iban espectacularmente pintarrajeadas. El viajero francés Brunel, al cual nos hemos referido tanto, se obsesiona con el abuso de los polvos de Guadix o del color de Granada, es decir con las tinturas bermejas. Escribe: «Se ponen las mejillas de color escarlata, pero de un modo tan grosero, que parecen haber trabajado para disfrazarse más que embellecerse.» Otro viajero, Alcide de Bonnecase, afirma que: «Se pintaban tanto que apenas se les podía ver la piel.»

También los excesos de colorete sorprendieron a los viajeros ingleses, a pesar de que la reciente época elisabetiana había sido parecida y espectacular, presidida por aquella gran máscara calva y empelucada que fue Isabel, la Reina Virgen. Así pues, cuando leemos las memorias de muchos ingleses que acompañaban en 1623 al príncipe de Gales en su osada aventura madrileña para conquistar el corazón y obtener la mano de la infanta María, hazaña totalmente fallida, conocemos las opiniones de los viajeros sorprendidos. James Howell explica que «cuando las españolas están casadas tienen el privilegio de llevar tacones altos y de pintarse, lo cual aquí es una costumbre general y la propia reina la practica». Otro viajero de aquellos días, sir Richard Wynn, explicando el sosegado paseo por la calle Mayor, hace la siguiente observación: «Todas las mujeres, me atrevería a jurar que no había ni una que fuera sin pintar; y lo hacen de manera más visible de manera que uno creería que llevan más bien caretas que sus propios rostros.» Sir Richard Wynn era ayuda de cámara del príncipe Carlos Estuardo y, por tanto, miembro de su séquito cuando éste estuvo en Madrid. A su vuelta escribió un relato minucioso en detalles de la vida y costumbres españolas. Fue testigo, por ejemplo, de una representación teatral en el Real Alcázar a la que asistía la familia real española y nos da noticias de cómo iban la reina Isabel de Borbón, esposa de Felipe IV, y sus damas: «Al cabo de algún tiempo entraron las damas de honor de la reina, de dos en dos, y se fueron sentando encima de las alfombras que habían puesto en el suelo. Eran unas dieciséis. No puedo decir que ninguna de ellas fuese guapa e iban pintadas más si esto fuera posible que las mujeres corrientes, aunque algunas de ellas no tenían ni trece años.»

Una de las más agudas observadoras de la vida española de mediados del siglo XVII es lady Anne Fanshawe, a cuyas *Memorias* nos hemos referido a lo largo de este libro. Es casi la única visión femenina, por lo menos entre los viajeros ingleses de la vida española del siglo XVII, y en el caso de los afeites de las damas resulta mucho más tolerante: «Todas se pintan de blanco y de rojo, desde la reina hasta la mujer del zapatero, viejas y jóvenes, excepto las viudas, que nunca dejan su riguroso luto ni llevan guantes, ni vuelven a mostrar el pelo después de la muerte de su marido y que raras veces se casan de nuevo.»

El caso es que todos los viajeros coinciden en que las mujeres se arrebolaban con una pintura muy espesa, como si embadurnasen una pared de minio. Para acabar con la observación de los ingleses de este aspecto de las costumbres femeninas del Madrid de la época, copiaremos unas líneas del anónimo libelo firmado con las iniciales C. T., que es un texto de fin de siglo, en que se queja de que las españolas no siguen saliendo tapadas a la calle con estas frases mordaces: «Antes, cuando iban tapadas, me parecían guapas, pero desde que, por orden del difunto rey —se trata a buen seguro de Felipe IV—, van con el rostro descubierto, he cambiado totalmente de opinión. Y estoy tentado a creer que la piedad de aquel rey descubrió en esta manera de moderar en alguna medida el libertinaje de esta ciudad. Es decir, la verdad es que, aunque no lleven velo ni antifaz, no por eso se les ve la cara, pues está tan espesamente untada de pintura que es imposible penetrarla.» Tras estas opiniones, que podríamos multiplicar, en el caso de los viajeros ingleses y que reproduzco del interesantísimo libro de Patricia Shaw Fairman *España vista por los ingleses en el siglo XVII*, no hacen otra cosa que confirmar lo que decían los poetas.

Digamos que la abundancia de elementos artificiosos para la belleza provenía de las condenas teóricas y prácticas sobre la limpieza. Los baños eran tenidos como un remedio extremo en algunas enfermedades. Y, desde luego, como la base de posibles liviandades, incluso en Sevilla, donde por el calor parecían aconsejables. Agustín de Rojas bien lo señala, sospechando las salacidades de las sevillanas que acudían a los baños públicos: «Mujer conozco yo en Sevilla —escribe en *El viaje entretenido*— que todos los sábados por la mañana ha de ir al baño, aunque se hunda de agua el cielo.» A lo que un interlocutor respondía, avieso y malintencionado: «La que del baño viene, bien sabe lo que quiere.» No obstante no dejaba de haber gentes que defendieron la sencillez del baño y del lavado. Así, Juan Ruiz de Alarcón, en su comedia *El semejante a sí mismo*, elogia como maravilla a:

> *Una dama que se alegra*
> *con agua pura la faz.*

En conjunto, las damas creían más en lo que añadían que en lo que quitaban respecto a la higiene y a la belleza. Así pues, el uso y abuso de cosmético harían interminable esta relación. Seremos breves: la cedusa, que se llamaba también solimán, era una tintura de fondo sobre la cual eran aplicadas el color rosa y el bermellón. Los labios se pintaban o se cubrían con una ligera capa de cera para aumentar su brillo. El cuidado de las manos merecería un capítulo larguísimo a base de untos, cremas y pomadas. Y los perfumes eran numerosísimos, desde el agua de rosas —el típico julepe—, hasta el ámbar. Madame d'Aunoy explica que, a falta de pulverizador, era una sirvienta la que, aspirando el líquido aromático, lo proyectaba en gotas a través de los dientes, que los debían tener bien desparejos, sobre la cara y el cuerpo femeninos.

Todo ello irritaba a los moralistas. Fray Juan de las Cuevas, en su ameno libro titulado *La hermosura corporal de la Madre de Dios*, impreso en 1621, lanza sus anatemas contra la cosmética de las damas de aquellos días: «Deja esta doctrina declarada cuán poca hermosura se halla en el día de hoy, principalmente en las mujeres, en quien si se ve un cuerpo alto, ayuda una buena parte la altura del chapín. Si en su rostro hay un color rosado, hácese con su artificio, traza e industria de sus ungüentos y carmines. Si sale de ellas resplandor, creo que lo debe de causar alcanzar el alcanfor y el solimán. Si el cabello es dorado, dalo tal el enrubio y rasuras que se dan. Si los dientes blancos, gracias a quien inventó los polvillos. Si, finalmente, tienen sus miembros proporcionados, buena parte se debe a quienes les corta de vestir, por cuanto se han subido tanto en nuestro tiempo las hechuras como en los años débiles y de carestía aumenta el pan. Bien estériles son de hermosura en estos tiempos estas señoras, pues tanto cuidado tienen de sus personas en ataviarlas y aderezarlas, por parecer bien acabadas.»

Francisco de Quevedo, siempre certero y excesivo, explica en *La hora de todos* y *La fortuna con seso* una escena de acicalamiento de una dama ya madura, y llega su caricatura a la pura confusión, a la pura deformación esperpéntica. Pero copiaremos este fragmento por cuanto en su misma descomedida exageración tiene una plástica expresividad: «Estábase afeitando una mujer casada y rica. Cubría con hopalandas de solimán unas arrugas jaspeadas de pecas; jabelgaba como puerta de logería lo rancio de la tez. Estábase guisando las cejas como chorizos; acompañaba lo mortecino de sus labios con el papel de cerillas, iluminarse de vergüenza postiza con dedales de salcedilla de color. Asistíale como asesor de cachivaches una dueña, calavera confitada en untos. Estaba de rodillas sobre sus chapines, con un moñazo imperial en las dos manos, y a su lado una doncellita, platicanta de botes, con unas costillas de borrenas para que su ama la anaplenase —añado por mi parte que "la anaplenase" es una voz inventada por Quevedo que quería significar embutir de lana cualquier cosa— las concavidades que le resultaban de un par de jibas que le atrompicaban el talle. Estándose pues la tal señora dando presa de un brillasco a su espejo, cogida de la hora, se confundió en manotadas; y dándose con el solimán en los cabellos, con el humo en los dientes y con la cerilla en las cejas y con la color en todas las mejillas y encajándose el moño en las quijadas y atracándose las borrenas al revés, quedó cana y cisco, barbada de rizos y hecha brojo; con cuatro cocorvas, vuelta visión y cochino de San Antón. La dueña, entendiendo que se había vuelto loca, echó a correr.

»La muchacha se desmayó como si viera al diablo. Ella salió tras la dueña hecha un infierno chorreando fantasmas. Al ruido salió el marido y, viéndola, creyó que eran espíritus que se le habían revestido y partió de carrera a llamar a quien la conjurase.»

Las lindezas masculinas

No creamos que los hombres iban a la zaga en cuanto al maquillaje y acicalamiento. El recio aragonés fray Tomás Ramón, en su *Nueva premática de reformación*, se estremece de santa iracundia al ver los lindos que «van por las calles con abanicos en las manos haciéndose viento» y, para el colmo de los colmos, «los hay que son eclesiásticos y que llevan en invierno "manguitillos de pieles en las manos"».

«¿Qué hacen las más delicadas mujerillas?», se altera el fraile. Pero si los eclesiásticos se perfuman, van con sus manguitos y abanicos según la estación del año, peor era para fray Francisco de León, prior del convento de Nuestra Señora de Guadalupe en Baena, el afeminamiento de los militares. En un sermón fúnebre en elogio de la memoria de Gonzalo de Córdoba, el Gran Capitán del siglo XV, exclamaba: «Aborrecían en aquel tiempo todo lo que olía a regalo teniéndolo por indigno y ajeno de hombres y propio de mujeres. No dormían, no jugaban; los repiques de los tambores eran relojes que a todas horas de la noche los despertaban. Ahora mirad con atención y veréis si podemos temer que vengan a azotarnos en las camas los más viles enemigos de Dios y de su rey. ¿Dónde están los capitanes? ¿Dónde los soldados? ¿Dónde las armas? ¿Dónde los militares ejercicios? ¿Dónde hay hombres en España? Lo que yo veo es mariones que hurtan los usos de las mujeres; de hombres los veo convertidos en mujeres. De esforzados en afeminados, llenos de tufos, melenas y copetes, de sinemudas y badulaques que las mujeres usan. Y siendo así que ayer blasfemábades de los extranjeros que entraban en España con melenas y os olían mal y ahora traéis las mismas y queréis oler bien. A mí me oléis a lo que os olían los extranjeros cuando las traían. ¡Lindos soldados para un aprieto de importancia! Ahora mejor os parecía a unos una rueca que una espada. A lo menos haríades más hacienda. Yo espero que habéis de venir en misa de dos en dos, dadas las manos porque eso os falta por hacer.»

En 1639, Bartolomé Ximénez Patón publicó su célebre discurso «De los tufos, copetes y calvas», que era una condena contra pelucas y bigotes, adornos y perfumes: «Los galanes de la corte, no contentos con las guedejas ordinarias y copetes, engoman y enrizan el cabello y ponen fundillas y hacen aguas para los rostros.» Asimismo, critica los bigotes exagerados, cultivados «como flores de jardín». Efectivamente, el lindo al uso no se acostaba nunca sin envainar los mostachos en bigoteras con ungüentos para conservarlos lustrosos, los rizaban dejándolos dispuestos del modo más conveniente. La mayoría de estas bigoteras eran unas fundas de gamuza suave o de badanilla, en las cuales los bigotes se embutían. Los usaban los caballeros cuando estaban en casa o en la cama para que no se les descompusiesen y ajasen. Esta bigotera, por los extremos tenía una cinta que se afianzaba en las orejas. Hubo famosos bigotes en el Madrid de los Austrias. Queda memoria de uno de ellos, el de Diego de Vargas, a quien llamaban *Diego Bigotes* porque los tenía muy largos, retorcidos, que le daban vueltas por las orejas. Unos bigotes que han pasado a la historia.

Los demasiado lindos

El acicalamiento de los lindos nos lleva a abordar el problema del homosexualismo masculino que se rastrea en las noticias de Barrionuevo —y en ellas incluso la bestialidad—, que se explica en las cartas de los jesuitas, en el colérico rebramar de los moralistas, en los sañudos textos procesales de la santa Inquisición y en los libelistas satíricos, entre iracundos y burlones. Aparecen los denostados mariones, que así se les llamaba a los homosexuales, porque la palabra «marica» se reservaba entonces más bien a las prostitutas. (En cuanto a la palabra «maricón», empieza a sonar y nada menos que en los textos de Quevedo, aunque más como hombre afeminado que homosexual activo. Así se lee en el *Buscón* de Quevedo: «Y porque no le tengan por maricón, abaje ese cuello y agobie las espaldas.») Otras de las palabras más corrientes para denominar a los homosexuales eran «puto» y «bujarrón». También en el *Buscón* de Quevedo aparece la palabra «puto» con este significado: «Respondía que eran cosas de atrás y yo pensé que pecados viejos quería decir y ello averigüé que por puto...» En cuanto a bujarrón, quería decir sodomita pasivo. Así se lee en la *Vida de Gerónimo de Passamonte*: «Pero la ramera de la madre ganó de tretas, que fue dar voces y decir que el yerno era bujarrón y que había intentado el pecado nefando con su hija y la hija confirmólo como hija de tal madre.»

«Aguador» ambulante, pintura del siglo XVII atribuida a P. Núñez de Villavicencio (Museo Provincial de Bellas Artes, Valencia).

«Don Quijote cenando en la venta», obra de C. Valero que se conserva en el Museo del Prado.

«La sopa boba»
de San Diego de Alcalá
por B. E. Murillo
(Real Academia
de Bellas Artes
de San Fernando, Madrid).

«El almuerzo»,
obra del joven Velázquez
que se conserva
en el Museo del Ermitage
de Leningrado.

«El infante don Carlos»,
de Velázquez, guante en mano
(Museo del Prado, Madrid).

«Doña Inés de Zúñiga, condesa
de Monterrey» con guardainfante,
por J. Carreño de Miranda
(Museo Lázaro Galdiano, Madrid).

El bellísimo tocado
de «La dama del armiño» del Greco
(Colección Stirling Maxwell, Glasgow).

Bucles dorados en el «Retrato de la infanta María Teresa» de Velázquez.

Quevedo... con sus «quevedos» en un grabado de Francisco Pacheco (Museo Lázaro Galdiano, Madrid).

Abanico en la mano de «Mariana de Austria», pintura de Franck Luyck que se conserva en el Museo del Prado.

Afrenta y castigo públicos a un cornudo en «Civitates orbis terrarum», de G. Braun.

Mendigo en
un fragmento
de la pintura
de B. E. Murillo
«Santo Tomás
de Villanueva
cura a un paralítico»
(Antigua Pinacoteca,
Munich).

Castigo a unas alcahuetas sevillanas en el «Civitates orbis terrarum».

Cómicos de la legua en Castilla y efigie del sevillano Lope de Rueda, creador de nuestro teatro en prosa.

Alanceado de un toro en «Las fiestas de Madrid con motivo de la visita del príncipe don Carlos el 23 de marzo de 1623» (Museo Municipal, Madrid).

«Danzarinas de Granada» con castañuelas según la «Illustrium Hispaniae urbium tabula» (Biblioteca Nacional, Madrid).

Sicarios más o menos anónimos pondrán
fin a la vida del conde de Villamediana,
presunto amante de Isabel de Borbón,
esposa de Felipe IV (pintura de Velázquez).

Portada de la «Vida del pícaro Guzmán
de Alfarache» impresa en Amberes en 1681.

Jugadores de naipes en «La negación de San Pedro»,
pintura de la escuela de Caravaggio (catedral de Sevilla).

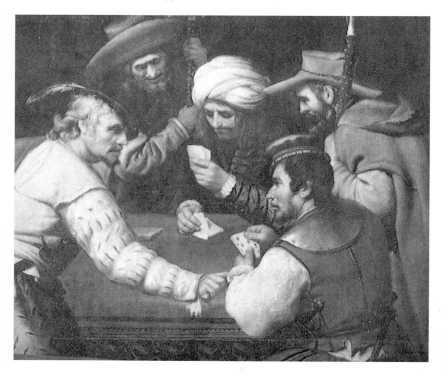

Tendríamos que reiterar los versos de Quevedo que tan a menudo vienen a nuestras páginas de una manera insoslayable. En el caso de capones, bujarrones y putos, desenvaina los más terrible sonetos, se refocila en las más socarronas sátiras e increpa a diestro y siniestro a sus enemigos con estos anatemas. (Por otra parte, todo sea dicho, sus víctimas le atribuían también a él vicios nefandos.)

Así pues, reportaré aquí el fragmento que dedica a los lindos de la época Vicente Espinel en su curiosa *Sátira contra las damas de Sevilla*:

¡Oh!, caso horrendo, mísero y terrible
es ver la juventud al suelo vándalo
envuelta en sodomía incorregible;

el melifluo mozuelo oliendo a sándalo,
con blanduras del rostro y alzacuello,
moviendo al cielo a ira, al mundo a escándalo;

engarrotado el triste y tieso cuello,
oliéndole el pescuezo oliendo a esparto,
señal que presto acabará con ello.

No se me da del más pintado un cuarto;
que, de enfado tengo de decillo,
me tiene ya cansado y harto.

¿Tengo yo que sufrir al mozalbillo
oliendo a puto a tiro de ballesta
aquel orden putesco de vanillo?

La lechuguilla muy mirlada y puesta
al cogote la gorra o caperuza
sobre la frente la encrespada cresta.

El polvillo del guante de gamuza
y el acompasado echar de pies y piernas,
manjar provocativo al moro Muza.

Aquella afectación suave y tierna
de blando azúcar... con que a Petrarca
piensa que en discreción rinde y gobierna,

El curioso gregüesco y saltambarca
la capa de bayeta oliendo a algalia
el almizcle y pastilla en el arca

todo el negocio va por lo de Italia.
¡Volved, oh juventud, bárbara y ciega,
a aquel antiguo ser de la Vandalia!

Esta sátira encontrada por el hispanista Eugenio Melé en un manuscrito italiano se revela bastante clara para explicar el problema del homosexualismo que, como se ve por los versos de Vicente Espinel, se atribuía tanto en España como en Francia al contacto con las costumbres de Italia. Incluso se le llamaba el vicio italiano.

Y acabaremos con lo que escribía fray Juan de los Ángeles, aludiendo a los hombres afeminados, y que me parece resulta definitivo: «De éstos está el mundo lleno, todos los más de él son muñecos mujeriles, flacos, sin virtud y sin ser de hombres, ya se afeitan y se pulen como mujeres y se hacen traer en sillas y se miran y componen al espejo y presto se pondrán almirantes y arandelas y copetes y ruecas en las cintas porque ya les cansan las espadas; y el tratarle de cosas de caballerías, para ellos, pueblos en Francia.»

Y lo más curioso resulta que se atribuía gran parte del afeminamiento de los hombres al cuidado en el cabello, puesto que se tenía la cabellera larga como femenina. En 1637, el doctor Gutierre Marqués de Careaga, que escribió una *Invectiva en discursos apologéticos contra el abuso público de las guedejas*, censura a todos quienes «ocupan todos sus sentidos en hacer ondas y sortijas en sus cabellos, atándolos con cintas o bien calentándolos con hierro, para obligarlos a que se encanillen a la pretendida compostura», y añade que los hombres ocupados en curar y componer el cabello renuncian a su sexo. Todo lo contrario del mito bíblico de Sansón, que, como es bien sabido, perdió su fuerza viril al cortarle Dalila el cabello.

Capítulo V

DEL AMOR PLATÓNICO AL ADULTERIO

Uno de los capítulos más complejos de este libro es evidentemente el amor. Sobremanera por las múltiples facetas en que se presenta en los años del barroco. Bien lo explicó en un libro clásico, *Introducción al Siglo de Oro*, el gran hispanista Ludwig Pfandl, entre ingenuo y sabio: «España ha sido siempre un país de contrastes, sobre luz y realismo e irrealismo. Si por una parte la religiosidad se manifestaba con un ímpetu y una vehemencia cordial y sin precedentes, por otra la moralidad pública era el reflejo de la apasionada e innata predisposición, de la facilidad para dar oídos a la voz de la sangre impetuosa...»

Mucho hay de cierto en las aseveraciones del gran estudioso del siglo barroco. En la poesía, en el teatro, en las novelas de caballerías, o más tarde en las novelas cortesanas y amatorias, y finalmente en la poesía satírica, alternan las ideas y sentimientos más contrapuestos. En la pluma del hombre alternan y se corresponden la adoración hacia la mujer —conocida a veces tan sólo de nombre, como en la poesía trovadoresca— y la más feroz misoginia. En ocasiones estas apasionadísimas manifestaciones las expresa un mismo hombre y un mismo poeta, como en el caso, por ejemplo, de Francisco de Quevedo. He aquí el principio de uno de sus sonetos amorosos:

> *Sólo sin vos, y mi dolor presente,*
> *mi pecho rompo con mortal suspiro;*

sólo vivo aquel tiempo cuando os miro,
más poco mi destino lo consiente.

Por aquellos mismos años, Francisco de Quevedo escribía centenares, quizá miles de versos contra las mujeres, como aquellos que componen los tercetos de su *Riesgos del matrimonio en los ruines casados*:

Antes para mi entierro venga el cura
que para desposarme; antes me velen
por vecino a la muerte y sepultura;

antes con mil esposas me encarcelen
que aquesa tome; y antes que «Sí» diga
la lengua y las palabras se me hielen.

En este largo poema hace reflexiones solemnes y truculentas, como ésta:

¡Felices los que mueren por dejallas
o los que viven sin amores dellas
o, por su dicha, llegan a enterrallas!

Así pues, los escritores misóginos son abundantes, como lo son sus sátiras y ferocidades que dan una idea bastante distinta de lo que pretendían los moralistas que fuese la mujer católica, pueril y encerrada del siglo XVII.

No es éste el lugar de hacer un estudio profundo de la condición de la mujer en el siglo XVII, estudio que en toda su integridad y extensión está, que yo sepa, por hacer. Pero sí hemos de aludir a una serie de condiciones, hechos y calidades contradictorios. De entrada hemos de decir que la mujer en el Madrid de los Austrias, por lo general, había recibido una educación deficiente y estaba sometida a unas circunstancias jurídicas bastante duras; por un lado, la potestad paterna, o sea el derecho para casar a las hijas sin consentimiento, y por otro la desigualdad de la mujer en el matrimonio, donde la autoridad del marido estaba apoyada por grandes facilidades jurídicas, incluso el asesinato por infidelidad de la mujer. Esto es un hecho incontrovertible y viene apoyado no tan sólo por las leyes y costumbres, sino por los hechos. Pedro Mexía, en el *Coloquio del porfiado*, escribe: «El que mata a su mujer, si la hallase en adulterio, aunque lo haga por sólo venganza, lo permite la ley... La puede matar... El marido que tal hace peca y comete injusticia, porque en cambio Dios no permite que nadie se vengue por sus manos, pero sí permítelo el rey y la ley.» Así pues, lo que explica el teatro de Lope y de Calderón es hasta cierto punto cierto, pero sólo hasta cierto punto. A pesar de que las doncellas y las damas honestas solían vivir sujetas a la custodia de austeros y a veces vesánicos guardianes, que eran esposos, padres o hermanos, el mismo teatro, la novela cortesana y picaresca, la lírica costumbrista y los moralistas nos ofrecen un cuadro totalmente divergente. *Vivir sin morales*

Así pues, si el siglo XVII en Madrid es el siglo del honor, también lo es del libertinaje. Los hombres tienen mancebas, bastardos, son clientes de burdeles, enferman de males secretos. Muchas de las mujeres por merecer, las solteras, llevan una vida hipócrita y disimulada de disolución, de tal modo que la palabra «soltera» llega a tener un sentido equívoco y a las que mantienen su virginidad se las llama doncellas. Y, finalmente, si hay mujeres adúlteras y sacrificadas, también existen maridos consentidos, incluso explotadores de los encantos de sus mujeres. Como en el caso del honor, estos ejemplos de indignidad marital conocen abundante literatura.

El código del honor

El código del honor tiene quizá unas reminiscencias medievales y posiblemente también una influencia de las costumbres mahometanas. De hecho, la mujer queda al margen de una vida social activa. Ni las mancebas reales conocen la importancia de las de Francia, por poner un ejemplo, ni tan sólo influyen en la vida ni en el gobierno, aunque existan las naturales excepciones. Las mujeres viven apartadas, como señalan los viajeros que nos visitan. El francés Bertaut lo observa: «Los hombres las encierran, no pudiendo comprender cómo nuestras damas de Francia están con ellos en la libertad en que han oído y sin causar ningún daño.» Y otro francés, Brunel, señala: «Los maridos que quieren que sus mujeres vivan bien se hacen tan absolutos que las tratan casi como esclavas, temerosos de que aun una honesta libertad las emancipe de las leyes del pudor, poco conocidas y mal observadas en el bello sexo.»

Este puntillo que se da en las clases altas y privilegiadas contagia también al pueblo en muchos sectores. Por ejemplo, existe la historia del «tabernero de Sevilla», llamado Silvestre de Angulo, que no cejó hasta llevar al cadalso a su esposa culpable y a su amante, a pesar de los ruegos de varios religiosos. Y acabada su hazaña se quitó el sombrero y lo lanzó al pueblo gritando: «¡Cuernos fuera!» O Cosme, catalán y de oficio sastre, que sorprendió a su mujer en flagrante adulterio con un oficial suyo, y conseguida su culpabilidad se empeñó en que fueran ejecutados. Ya al pie de la horca, los frailes de San Francisco cercaron al marido, hicieron correr la noticia de que había concedido su perdón, con lo que los adúlteros pudieron escapar, a pesar de que el agraviado, hecho un basilisco, vociferaba y hacía señas de que los ahorcaran. Así lo contaba un romance famoso:

Todos le ruegan a Cosme
que perdone a su mujer
y él responde con el dedo:
Señores, no puede ser.

Todo ello era posiblemente contagio de los dramones de dramaturgos como Lope y Calderón. Lope de Vega ciertamente no se podía presentar como modelo de moral conyugal, ya que sus amores adúlteros fueron sonados. Pero, no obstante, escribió la comedia más aterradora sobre los agravios maritales y las venganzas. Se trata de *Los comendadores de Córdoba*, donde un caballero, antes de matar a su esposa Beatriz, exterminó a los comendadores y a cuantas personas y animales había en la casa para que no quedasen testigos de su afrenta.

Lope de Vega fue, repetimos, quien lanzó este teatro que luego Calderón llevó a los silogismos más refinados. Bien lo decía el bueno de Lope en *La estrella de Sevilla*:

> *Que el honor es cristal puro,*
> *que con un soplo se quiebra.*

Pero hemos de señalar que los más humanos ingenios pronto empezaron a dudar de esta religión quisquillosa, quizá invadidos por la sensualidad ambiental. Comenzó Cervantes, comprensivo, liberal y burlón ante estos problemas y siguió con el costumbrista Zabaleta, que ya afirmaba que «no hay más honra que la virtud». Lo remachó Quevedo en *Las zahúrdas de Plutón*: «Muere de hambre un caballero pobre, no tiene con qué vestirse, o da en ladrón y no lo pide porque dice que tiene honra, ni quiere servir porque dice que es deshonra.» Insiste en ello don Francisco de Quevedo en *La visita de los chistes*: «Al final del mundo todos se han dado en la cuenta y llaman honra a la comodidad y con presumir de honrados sin serlo se ríen del mundo.»

Pero bien pronto el escepticismo de la segunda mitad del siglo XVII se impondrá y las venganzas de honra serán menos y muchos maridos se conformarán con su desgracia y algunos explotarán su indignidad siguiendo la filosofía como la de aquel Fernando de Guzmán, de quien dice don Juan de Arguijo: «Los cuernos son como los dientes que, al principio, duelen, pero después se come con ellos.» Este chiste, que se ha perpetuado hasta nuestros días, muestra lentamente un cambio radical en la mentalidad del concepto de la honra conyugal, que a finales de siglo prepara los usos y costumbres amatorios del siglo XVIII, totalmente contrarios a los rigores del XVII. Y el concepto del honor en algunas ocasiones llega a ser tenido por ridículo.

103

El teórico culto a la mujer

A pesar de la intimidad y encierro que vivían las mujeres, o quizá por esta causa, fueron objeto de una verdadera idolatría poética y de cierto relajo y desenfreno erótico en muchas ocasiones: Cierto es que eran bellas. El inglés Robert Bargrave escribía en 1654 que «la gente de Madrid se destaca de la de los demás sitios de España: los hombres por su afabilidad, la mujeres por su belleza». Mayor fuerza de convicción tiene la afirmación de lady Ana Fanshawe, esposa del embajador sir Richard Fanshawe, en cuyas *Memorias*, escritas hacia 1680, afirma: «Son las mujeres de mejor tipo del mundo, no altas y sus cabellos y sus dientes son muy lindos.» Con tales bellezas, España, feliz, estaba tremendamente imbuida de literatura y sobre todo por el ejercicio constante de la poesía, no tan sólo de los poetas reconocidos y al uso, sino de cualquier persona culta. Así pues, como ha anotado un crítico, el historiador Francesco Alberoni, «el enamoramiento de alguna manera estaba ya prefigurado por la cultura y por una disposición de ánimo». Detrás de todo este bagaje literario del amor estaban los ecos de Platón, de Ficino, de Andrés Capellani, de León Hebreo, del Bembo, de Baltasar Castiglione, de los poetas del Renacimiento dorado. Y con ello se producen las sutilezas más complejas, las hipérboles más descaradas, la orgía de metáforas casi lujuriosa. De la exaltación de la figura de la mujer viene la sublimación de la del enamorado. Se ve bien claro en un juego poético muy al uso de la poesía galante y barroca de nuestro Siglo de Oro. Se trata de las cuatro eses del enamorado, con las que la mayoría de poetas juegan y rejuegan, desde Lope de Vega a Miguel de Cervantes. Como tantas cosas del amor galante, el juego se inició en Italia, puesto que el texto más antiguo que conozco hablando de ello es un libro publicado en 1536 en Roma y titulado *Opera nova in la quale contiene le dieci tavoli dei proverbi*. En este libro anónimo, las cuatro eses del enamorado vienen de esta forma: «*Quatro eses vuol amor: Savio, Solo, Sollicito, Secreto.*»

De una manera más o menos cronológica, diremos que Cervantes, en la primera parte del *Quijote* y en su novela de inspiración italiana *El curioso impertinente*, y en boca de una dama italiana dice: «Y no sólo tiene las cuatro eses que dicen que han de tener los enamorados, sino un a, b, c, entero.» Luego, Lope de Vega, en la jornada primera de *La adversa fortuna de Bernarda la Camarera*, pone en boca de uno de sus personajes femeninos, Violante, los siguientes versos:

> *Dijo una sabia mujer*
> *que en el marido ha de haber*
> *cuatro ces, si bien me acuerdo*
> *casero, callado y cuerdo*
> *y continente ha de ser.*
> *Y en el amante perfeto*
> *que a su dama no hace agravio,*
> *cuatro eses, que es secreto,*
> *solo, solícito y sabio.*

También el valenciano don Juan Guillén de Castro vuelve al tema en las *Redondillas o coplas reales de las cuatro eses*, publicada en el célebre Cancionero de la «Academia de los Nocturnos» de Valencia. Estas redondillas empiezan así:

> *Ni aventuras le prometo*
> *al galán que mueve el labio*
> *para cualquier dulce efeto*
> *solo, solícito y sabio*
> *y con fama de secreto.*

Y para seguir citando, Calderón de la Barca, por su parte, en la jornada tercera de su obra *Ni amor se libra de amor*, existen también las cuatro eses, en un diálogo entre Psiquis y Cupido:

> *Cuatro de eses ha de tener*
> *el amor para ser perfeto:*
> *sabio, solo, solícito y secreto.*

Quizá las más bellas de todas estas formulaciones están en *Las lágrimas de Angélica* de Luis Barahona de Soto. En ella se explica con la mejor retórica:

> *Ciego ha de ser el fiel enamorado:*
> *no se dice en su ley que sea discreto,*
> *de cuatro eses dice que está armado,*
> *sabio, solo, solícito y secreto.*
> *Sabio en servir y nunca descuidado,*
> *solo en amar y a otra alma no sujeto,*
> *solícito en buscar sus desengaños,*
> *secreto en sus amores y en sus daños.*

Cierto que existe también una variante con estrambote que recoge Francisco Rodríguez Marín en su prólogo al libro *Más de veintiún mil refranes castellanos*, que, manteniendo las cuatro eses, añade las tres efes del celoso. Dice así:

> *Cuatro eses componen*
> *el amor perfeto:*
> *ser solícito y sabio,*
> *solo y secreto.*
> *Quien celos tiene*
> *de fiero, flaco y fácil*
> *tiene las efes.*

Así pues, la mujer aparece como un ser inasequible, al que se dirigen todas las ilusiones y los deseos viriles. Dice Calderón de la Barca en uno de sus dramas:

> *Mujer, que aqueste nombre*
> *es el mejor requiebro para el hombre.*

De todo ello deriva una especie de torneo amoroso que recogen sobre todo las comedias amatorias y cortesanas del siglo XVII: las músicas y serenatas nocturnas, las conversaciones al pie de la celosía, las escaramuzas con los rivales, los secretos billetes, el envío de joyas, porque todas las damas, y en esto están conformes los satíricos de la época, son unas eternas pedigüeñas; lo son incluso las más honestas. Este mundo de intrigas amorosas se ve alentado, como digo, por el espectáculo nacional que es el teatro y por la lectura habitual que es la lírica erótica.

No obstante, en este sentido se llega a refinamientos increíbles. Por ejemplo, si una dama se hacía sangrar, acostumbraba a remitir a su amado una venda o pañuelo con algunas gotas de la sangre vertida, presente que él debía acoger con transportes enajenados, besando las sangrientas huellas. Y, sobre todo, debía corresponder al punto a su atención con regalos de vestidos y joyas. En este sentido el impudor femenino tenía algo de pueril, casi emocionante, si no lo hubiera presidido una avidez codiciosa.

Las damas pedigüeñas

Éste es un punto del cual han hablado mucho los satíricos y que recoge puntualmente José Deleito y Piñuela en el tomo de sus series sobre la historia del reinado de Felipe IV, titulada *La mujer*, la casa y la moda, y dice: «La falta de cultura espiritual y de ocupaciones serias y el ambiente frívolo y pueril en el que vivían las más de las mujeres, hacíalas ávidas de joyas, golosinas, perifollos y pelendengues; antojadizas de cuanto podía halagar su vanidad o su gusto y faltas absolutamente de delicadezas para procurárselo si no estaba al alcance de sus manos o de su bolsillo.» Éste era el tipo de dama pedigüeña que sin ningún escrúpulo importunaba constantemente a sus galanes, amigos y desconocidos y a quien sus adoradores tenían que estar constantemente llenando de obsequios, si no querían verla desabrida y huraña. Todo ello se comprueba a través de citas que no será quizá ocioso hacer por lo divertidas que son. Así pues, en la comedia de Pedro Calderón de la Barca *Fuego de Dios*, la hermana de un galán expresa lo más oportuno para agasajar a la dama de sus pensamientos, y lo dice así:

> Que si a las confiterías
> vas de la calle Mayor
> en ellas hay puntas, cintas,
> abanicos, guantes, medias,
> bolsos, tocados, pastillas,
> bandas, vidrios, barros y otras
> diferentes bujerías...

De estas aseveraciones de Deleito y Piñuela se ve bien claro que no eran tan sólo las mujeres equívocas, sino las más honestas, las que pedían sin sonrojo regalos a cualquiera. Incluso el caballero que acompañaba incidentalmente a una dama estaba obligado a comprar, si podía, cuanto a ella se le antojara a su paso. Así pues, Pedro Calderón de la Barca, en su comedia *Los tres mayores prodigios*, al llegar su criado Sabañón a la isla de Colco, exclama:

SABAÑÓN. *¡A linda tierra llegamos!*
ASTREA. *¿En qué veis que es linda tierra?*
SABAÑÓN. *En que ha hablado una mujer*
cuatro palabras enteras
sin pedir algo; que allá
en la mía no se enseña
a hablar ya, sino a pedir.
Cualquiera que a decir llega
«Beso a vuesamerced las manos».
—«Para aloja»— es la respuesta;
si «¿Cómo está vuesarced?
dicen: —«Para la comedia»—
—«¡Buenos días!»— «Para guantes.»
—«Pues ¿qué hay?»— «Para una
                         [merienda.»
Que aun el ser cortés un hombre
ya le ha de costar su hacienda.

En este verso hay una expresión «para guantes» que era el gracioso y equívoco eufemismo que se usaba cuando el regalo era en dinero. Guantes pasó a significar propina y aun en el actual *Diccionario* de la Real Academia Española guante significa agasajo o gratificación, especialmente la que se suele dar sobre el precio de una cosa que se vende y traspasa. Así pues, la expresión para guantes, y guantes fue desplazada paulatinamente por la generalización de la palabra propina.

El siglo del cuerno

Así llamó Francisco de Quevedo al Siglo de Oro, y la abundancia de burlas y tragedias sobre el adulterio en los textos literarios, tanto en lo que se refiere a comicidad como el dramatismo, a pesar de su evidente exageración, no debe desdeñarse. Cornudos, venados, cabrones, mansos, sufridos, pacientes, cornicantanos, cornifactores y cornimercaderes son algunos de los tipos que aparecen en la literatura satírica y en la picaresca de aquel siglo. E incluso existe una novela de Alonso Jerónimo de Salas Barbadillo, *El sagaz Estacio, marido examinado*, que es el testimonio mejor elaborado, más esmerado y cínico sobre este tema: «Dos modos hay de maridos corteses y blandos, uno que de socarrones y demasiadamente letrados en toda bellaquería dan lugar y abren paso, como si no lo hicieran en las liviandades y deshonestas licencias que se toman sus mujeres. Estos tales son muy costosos porque quieren a cuenta de su paciencia y en premio de su cortedad de vista, comer el mejor bocado de la plaza, vestir la mejor seda, pasearse en el coche y en el caballo del que les hace la copla, tener de ordinario doscientos escudos sobreros, ya para darlos a otra señora de la tabla de tantas virtudes como su esposa, ya para tentar su fortuna con el naipe y ver si este juego les dice tan bien como el otro. Y el día que esto falta, no todo, sino una pequeña parte de ello, granizan sobre el rostro de su mujer y suelen sin tener necesidad que le obligue a ello, hacerse sacamuelas y desarmalla las encías; este perverso género de compañeros de cama y mesa... Hay otros que naturalmente son tan inocentes y corderos que todo cuanto ven en su casa juzgan piadosamente, pero éstos son tan raros que en cada mano se hallan dos hombres; así lo dice y no se engaña la buena segura.»

Francisco de Quevedo tiene la obsesión del mundo marfileño de los cornudos engañados y sobremanera de los consentidos. Toda su prosa destemplada, suculenta y corrosiva, aborda y agota todos los extremos de este problema que contrasta con la religión del honor. Así pues, en *Capitulaciones de la vida de la corte y oficios entretenidos*, puntualiza que «los cabrones duermen, a fuer de príncipes, en cama aparte, y esto se les tiene en cuenta; comen regaladamente y en casa usan de gran silencio por no inquietar al huésped y espantar la caza». En su *Carta de un cornudo a otro*, titulada «El siglo del cuerno», leemos: «No me espanto que agora es vuesa merced cornicantano como misacantano... ¿Y debe pensar vuesa merced que es sólo cornudo en España? Pues ha de advertir que nos damos acá con ellos, que se trata que como oficio se le señala al cuartel aparte y calle, y como hay lencería y judería, haya cornudería... Y ha de llegar el tiempo en que ha de darse en España con maridos y es un borrón de la profesión que antes, cuando en una provincia había dos cornudos, se hundía el mundo y ahora, señor, no hay hombre bajo que no se meta a cornudo... Si anduviera el mundo como habría de andar, se habría de llevar por posición como cátedra y darse el título al más suficiente.»

Los poemas, sátiras, letrillas y jácaras sobre los cornudos son infinitas. En ellas se examina el problema de todas las facetas. El caso del cornudo consentido y aprovechado se refleja en la magnífica pieza *Un casado se ríe del adúltero porque le paga el gozar con susto lo que a él le sobra*, que se debe a la mendacidad quevedesca:

Dícenme, don Jerónimo, que dices
que me pones los cuernos con Ginesa;
yo digo que me pones casa y mesa;
y en la mesa, capones y perdices.

Yo hallo que me pones los tapices
cuando el calor por el octubre cesa;

por ti mi bolsa, no mi testa, pesa,
aunque con molde de oro me la rices.

Este argumento es fuerte y es agudo:
tú imaginas ponerme cuernos; de obra
yo, porque lo imaginaste desnudo.

Más cuerno es el que paga que el que cobra;
ergo, aquel que me paga, es el cornudo,
lo que de mi mujer a mí me sobra.

Otro soneto de Quevedo, harto famoso, es el puro dicterio, una filigrana satírica y acerada:

Cornudo eres, Fulano, hasta los codos,
y puedes rastrillar con las dos sienes;
tan largos y tendidos cuernos tienes,
que, si no los enfaldas, harás lodos.

Tienes el talle tú que tienen todos,
pues justo a los vestidos todos vienes;
del sudor de tu frente te mantienes:
Dios lo mandó, mas no por tales modos.

Taba es tu hacienda; pan y carne sacas
del hueso que te sirve de cabello;
marido en nombre, y en acción difunto,

mas con palma o cabestro de las vacas:
que al otro mundo te hacen ir doncello
los que no dejan tu mujer un punto.

Juan de Tasis, conde de Villamediana, experto en fabricar cornudos, dedicó contra ellos sus más feroces versos. Y sin ahorrar los nombres. Caso famoso de cornudo inmortalizado literariamente es el de Pedro Vergel, cuya mujer, doña Magdalena de Gamboa, parece ser que era bastante corrida y libidinosa, desterrada de la corte aunque por poco tiempo. Pedro Vergel, famoso matador de toros, era hombre gallardo, de buen gusto, con donaire, gala, condición y liberalidad, con espíritu levantado para las cosas grandes y con una gran destreza para las armas. No le perdonó Villamediana todas estas gentilezas y le atacó ferozmente en epigramas como éste, que dirigiéndose a san Isidro dice:

Isidro, si a nuestra tierra
bueyes venís a buscar,
estos tres podéis llevar:
Medina, Vergel y Sierra.

A Villamediana se atribuye también otra acerada cuarteta:

Galán va Pedro Vergel,
con cintillo de diamantes,
diamantes que fueron antes
de amantes de su mujer.

También Villamediana usó del soneto contra su enconado enemigo:

La llave del toril, por ser más diestro,
dieron al buen Vergel, y por cercano
deudo de los que tiene so su mano,
pues le tiene esta villa por cabestro,

aunque en esto de cuernos es maestro
y de la facultad es el decano,
un torillo, enemigo de su hermano,
al suelo le arrojó con fin siniestro.

Pero como jamás hombres han visto
un cuerno de otro cuerno horadado
y Vergel con los cuernos es bienquisto

aunque esta vez le vieron apretado
sano y salvo salió, gracias a Cristo:
que Vergel contra cuernos es hadado.

Villamediana ejerció su descarnada musa satírica contra los comediantes y singularmente contra la célebre representanta Jusepa Vaca. Dirigiéndose al marido, Juan de Morales, que era un celoso terrible, atacaba a Jusepa Vaca con epigramas como éste:

> Con tanta felpa en la capa
> y tanta cadena de oro,
> el marido de la Vaca,
> ¿qué puede ser, sino toro?

Pero contra Jusepa Vaca escribió un poema que aludía claramente a los señores de título que la sirvieron, y no eran los únicos, de una manera desenfadada y sangrienta:

> Oye, Josefa, a quien tu bien desea,
> Que es Villanueva aquesta vida humana,
> Y a Villafuerte pasará mañana,
> Que es flor que al sol que mira lisonjea.
> Muéstrate Peñafiel al que desea,
> Si en ferias te da Feria y a Pastrana,
> Que anda el diablo suelto en Cantillana
> Y en Barcarola su caudal se emplea.
> Que es Rioseo aquesta suerte loca,
> Que lleva agua salobre, y a Saldaña,
> Que pica el gusto y el amor provoca.
> Que a tu marido el tiempo desengaña
> Que mucha presunción con edad poca
> Al valor miente y al amor engaña.
> Que hallarás, si plantares
> Fáciles Alcañizes, no Olivares.

CAPÍTULO VI

USOS Y COSTUMBRES DEL AMOR VENAL

Durante el siglo XVII el vicio generalizado del juego iba de la mano del auge de la prostitución. Ambos tenían un lenguaje especial, el léxico marginal del juego no se reduce al léxico privativo del marginalismo al uso, sino que tiene su personalidad propia, ya que con el pretexto de los juegos nace un lenguaje figurado que puede aplicarse a fines amorosos y políticos. La jerga, no obstante, se ha perdido en gran parte y resulta más peculiar que la germanía de la prostitución o las baladronadas de la valentía, con ser éstas también fundamentales e influir tanto en el lenguaje corriente.

Hemos de señalar, pues, que la prostitución iba de la mano del juego. En la mancebía de Sevilla, en la Olivera de Valencia, en el Potro de Córdoba, en el Corrillo de Valladolid, en el Barranco de Lavapiés, alternaban garitos con casas llanas y con casas de gula o bodegones. Y se jugaba en casi todos estos establecimientos. Así pues, no es raro que existiera una poesía erótica a través de los naipes, como en esta poesía atribuida a Juan de Tasis, conde de Villamediana:

A UNA SEÑORA QUE SE FACILITABA POR DINERO

Entre de bastos siempre a la doncella
cuando de oros el hombre no ha fallado;

espada su manjar es descartado
porque lo quiere así la madre de ella.

La malilla, aunque deje de tenella,
no perderá tanto es lo que le ha entrado
y si quiere elegir, porque es robado
él es la copa y la malilla es ella.

Quien entrare a jugar, y en hombre fuerte
si de oros a triunfar no se dispone,
nunca ganar aquesta polla espere.

Carta demás dinero no se pone
en esta mano antes que la diere
su basto encima a la malilla pone.

Todo el equívoco tejemaneje de conceptos resulta bastante claro, cosa que no siempre pasa en la poesía de los satíricos, pero sí casi siempre en la de Villamediana. El gran poeta labra, lapidario y corrosivo, este magistral soneto erótico con un alarde de términos del juego de naipes.

La prostitución fue muy nutrida y pecaminosa en aquella sociedad sensual e hipócrita de las ciudades españolas. Y de nada sirvieron las vigilancias y restricciones de la prostitución que se iban repitiendo, con convicción escasa, durante el siglo. Todo ello se rastrea en la literatura, así como en la picaresca y en los grandes hermanarios ascéticos y moralistas, en las noticias y memorias de los viajeros y en las pragmáticas, órdenes y reglamentos que se dictaban con notoria ineficacia.

Porque al parecer había en Madrid unas tres mil mujeres públicas controladas que oficialmente se dividían en mancebas, que eran las que compartían la vida maritalmente con un hombre, cortesanas, asalariadas de una cierta categoría, y rameras, cantoneras o busconas, que esperaban en casas, calles, esquinas o cantones. Éstos eran los títulos oficiales de cuantas mujeres eran independientes porque luego había las ocupantes de mancebías, toleradas, reglamentadas y aun amparadas por los gobiernos. Estas mancebías, con sus burdeles, existían en todas las ciudades y se destacaban Madrid, Sevilla, Toledo, Valladolid, Barcelona, Córdoba y Granada, y las demás poblaciones provistas de universidad, por ser los estudiantes grandes frecuentadores de los establecimientos. Éstas eran, en líneas generales, las distintas condiciones y cualidades de la mujer que vivía de los encantos más o menos marchitos de su cuerpo. Las variaciones, como luego veremos, eran extraordinarias y los matices realmente complicados. Y por esta razón nos obligan a publicar un léxico aparte.

De las mancebas a las trótalo-todo

Existían muchas clases de meretrices como las había de jugadores. Quizá en la cumbre de esta sociedad estaba la manceba, que, como hemos señalado, vivía con un hombre maritalmente: con estas mancebas había quienes sostenían un largo concubinaje, pero otras se alquilaban por meses y se las llamaba «amesadas». Luego venía la cortesana, que fingía pretensiones de un cierto disimulo y a las que llamaban también, por sus aspiraciones un tanto pudorosas y a menudo por sus ínfulas aristocráticas, «tusonas o damas del tusón» (por el Toisón de oro, alusión irónica, máxima orden de la caballería). Luego estaban las rameras o marcas, que podían ser de una cierta categoría, como las marcas godeñas, damas de achaque, damas de manto, damas de manejo y guisa. Luego estaban las rameras simplemente, así llamadas porque se anunciaban como las tabernas, con un ramo en sus casas «a la malicia».

Luego, siempre en el mundo de las independientes, estaban las busconas, que vivían fuera de la casa llana, y éstas podían ser cantoneras, o sea, que acechaban a los paseantes en los cantones o esquinas, mozas del partido, niñas del agarro, etc. Y, finalmente, en las ínfimas mancebías se contaban las izas, las rabizas, las colipoterras, las hurgamanderas, las golfas, las mulas de alquiler, las engüeradas.

Burdeles o casas llanas

Las casas llanas estaban gobernadas por el «padre de la mancebía o de las mujeres», llamado también «tapador», que era nombrado por el dueño de la casa y debía el concejo de la ciudad aprobar su nombramiento. En alguna ocasión el «padre» se ayudaba con alguna madre, pero en algunos casos la «madre» era «tapadora» única. Los propietarios de las mancebías podían ser gentes de calidad. Rodríguez Marín aporta un documento sevillano de 1571 en el que «Marco Ocaña, alguacil de la Justicia, como señor y propietario de once casas, nombra por madre para ellas a Mari Sánchez de Marquina, mujer vieja y antigua en dicho oficio que tiene dentro de la mancebía su casa y habitación».

Los burdeles se conocían con innumerables eufemismos: cambios, cercos, cortijos, dehesas, manflas, guantas, montes, vulgos, campos de pinos, monte, montaña, aduana, berreadero. También se los conoció por «lo guisado». Al postigo de la casa se le llamaba el golpe —se nombraba así también a las puertas de las cárceles—, y echar el golpe era cerrar la casa. Al mozo o portero se le apodaba mozo de golpe, guardadamas o guardapostigo. La ganancia en el trato se llamaba caire, cairo o carión y mandil o trainel al mozo de recados.

La institución del rufián

Una vergüenza pública eran los rufianes que usaban de la ganancia de sus coimas. Quien las tenía en una casa de trato decía que tenía la coima en el cerco o la vaca en la dehesa. Había quien disponía de más de una y era provechoso asunto. Así lo apunta Cervantes en *El rufián dichoso*:

> *El tener en la dehesa*
> *Dos vacas y a veces tres...*

Asimismo, el refrán que Cervantes pone en boca de Sancho: «Cada puta hile, y comamos» era un dicho rufianesco, pues hilar tenía el significado que los lectores suponen. Normalmente, las mujeres públicas eran fieles a su rufián, que disponía de ellas y contaba con su amor sumiso. De ello es buena prueba esta cesión *in articulo mortis*, no exenta de solicitud, de una mujer por su amigo que va a ser ajusticiado. Se trata de un romance titulado *Testamento de Maladros*, recogido por Juan Hidalgo:

> *Ítem, mando a la Bertrana*
> *porque sin mi amparo queda*
> *que con Lorenzo del Barco*
> *se acomode y favorezca;*
> *que a él se la he entregado*
> *por mi acuerdo gusto della.*

El rufián podía ser agresivo y habitualmente eran las mujeres harto masoquistas. Así se comprueba en un romance de Jerónimo de Cárcer. Dice una de ellas a quien su rufián le ha puesto las carnes como amapola:

> *El galán que pega, amiga,*
> *antes obliga que agravia;*
> *que el rato que abofetea*
> *trae a una mujer en palmas.*

Pero la agresividad masculina no se limitaba a los rufianes, sino a otras clases sociales. Y era harto bien celebrado. En una obra teatral de Rojas Zorrilla dice una doncella: «Las bofetadas me saben (si son a tiempo) mejor que gallinas y faisanes.» Inexcusable es traer la referencia en prosa de Miguel de Cervantes en *Rinconete y Cortadillo*. Habla la Gananciosa y se dirige a su amiga Cariharta: «Porque quiero —dijo— que sepas, hermana Cariharta. Si no la sabes, que a lo que se quiere bien se castiga; y cuando estos bellacones nos dan, y azotan, y acocean, entonces nos adoran.» Finalmente, Lope de Vega en *El asalto de Mastrique*, pone en boca de Marcela:

Calla tonta, que hay gusto
ya que de gusto te agradas
como cuatro bofetadas
de un hombre bien robusto.

No, porque luego verás
tratarse el gusto mejor
que, como niño es Amor
azotado quiere más.

El mundo del burdel y el del juego, y aun el del crimen, se confundían. Ello se advierte en toda la obra satírica de Quevedo. Curiosa es la costumbre de que una ramera podía librar a un condenado a muerte si, cuando le llevaban al suplicio, se ofrecía a casarse con él. Ello aparece en numerosos romances, sonetos, cuentecillos y reflexiones morales. Empero, algunos autores lo tienen por costumbre francesa, porque lo cierto es que ya Montaigne alude a ello en sus *Ensayos*. Pero algunos graves tratadistas dudan de que fuera cierto y, por otra parte, no se ha rastreado, que yo sepa, ninguna ley escrita que abone esta costumbre. No obstante, una copiosa literatura lo da como cosa conocida. Quiero copiar este pintoresco soneto de autor desconocido:

Sacaron a ahorrar el otro día
en Córdoba a Carrasco el afamado
y salióse la Pava del cercado
y dijo que con él se casaría.

La justicia cesó que se hacía
y el rufo a las prisiones ha tornado
y quedó el casamiento reservado
a la primera fiesta que venía.

Al desposorio fue la Salmerona,
la Méndez y la Pérez, y la Urbina,
y la marca del chirlo colorado.

No quedó en el corral una persona
y la madre de todas fue madrina
y fue padrino el padre Juan Cruzado.

El alcahuetismo

Una de las palabras más usadas en la novela picaresca y en la poesía satírica, sobre todo si es *ad personam*, es la palabra «alcahuete» o «alcahueta». Este vocablo «alcahuete», viejo como nuestra lengua, procede del árabe *qawwâd*, con el mismo significado, o sea, «persona que solicita o sonsaca a una mujer para usos lascivos con un hombre, o encubre, concreta o permite en su casa esta ilícita comunicación». Así lo define el *Diccionario* de la Academia. La primera mención escrita es en el *Libro de Calila e Dimna*, que en 1251, siendo infante, hizo traducir del árabe Alfonso el Sabio. Luego aparece en las *Partidas*, cuerpo legal de la época redactado de 1256 a 1263.

La palabra «alcahuete» es popular en los siglos XIV, XV y XVI, y se usa con perfecta libertad en los textos literarios. A principios del siglo XVII aún eran de buen pasar el vocablo «alcahuete» y sus derivados «alcahuetería, alcahuetear y alcahuetazgo», que así como ellos suenan andaban escritos en la *Nueva recopilación*. Pero pocos años después desterráronse tales palabras del lenguaje culto, y quedaron relegados al uso de la gente vulgar, afectación de que con donosura se burlaban nuestros escritores dramáticos. Lope de Vega en el acto I de *Los ramilletes de Madrid*:

FABIO.	*De un galán novel*
	Traigo aquí cierto papel
	Para dar a su quillotra
	Y escarmentado de otra...
	¿Quiere ver lo que hay en él?
ROSELLA.	*¿Que sois alcahuete?*
FABIO.	*No.*
ROSELLA.	*Pues ¿qué?*
FABIO.	*«Estafeta amorosa».*

En *El cocinero del amor*, entremés de Salas Barbadillo, Morales, que es guisandero de gustos amorosos, se ofende porque le llaman alcahuete:

MORALES.   *¡Jesús, Jesús, qué torpe grosería!*
            Mal conocéis a mi mucha cortesía...
MEDINA.   *Así le llaman todos en la corte.*
MORALES.   *Vulgarísimo estáis, rudo y grosero.*
            Y no poco lucido majadero.

Y, en fin, Calderón, por boca de un rústico, en la jornada I de *Celos, aun del aire matan*:

> *¡En qué cosas se mete*
> *el que se mete a... consonante, vete!*
> *Pues nombre es más pulido*
> *«Agente de negocios de Cupido».*

Cabe subrayar, no obstante, otro aspecto sobre los alcahuetes en el Siglo de Oro al que quizá convendría aludir y es su elogio irónico. Recordemos las palabras de Cervantes en el capítulo vigesimosegundo de la primera parte de *Don Quijote*: «El oficio de alcahuete, que es oficio de discretos, y necesarísimo en la república bien ordenada, y que no le debía ejercer sino gente muy biennacida, y aun había de haber veedor y examinador de los tales, como le hay de los demás oficios, con número reputado y conocido, como corredores de lonja, y desta manera se escusarían muchos males que se causan por andar este oficio y ejercicio entre gente idiota y de poco entendimiento, como son mujercillas de poco más a menos, pajecillos y truhanes, de pocos años y de poca experiencia, que a la más necesaria ocasión, y cuando es menester dar una traza que importe, se les yelan las migas entre la boca y la mano y no saben cuál es su mano derecha. Quisiera pasar adelante y dar las razones por que convenía hacer elección de los que en la república habían de tener tan necesario oficio; pero no es el lugar acomodado para ello: algún día lo diré a quien lo pueda proveer y remediar.»

Pero ésta no era tan sólo la opinión de don Quijote o, por mejor decir, de Cervantes. Su contemporáneo extremeño Juan Antonio de Vera y Figueroa escribió en Sevilla un *Elogio de los alcahuetes*, cuyos primeros tercetos son harto significativos:

Contra el desprecio vano e ignorante
nombre que da esta edad al de «alcagüete»
deseo cantar, si a tanto soy bastante.

Porque no hay celo justo que no inquiete
ver que exercicio tal, siempre dichoso,
hoy no se estima, abone y se respete.

Las mancebías de Madrid

En Madrid los alcaldes de Villa y Corte tenían muy reglamentado desde la tercera década del siglo XVII el funcionamiento de los burdeles madrileños. Las ordenanzas de mancebía publicadas en 1621 disponían que las mujeres públicas llevaran medios mantos negros, algo así como las modernas mantillas, por eso las llamaran damas de medio manto, diferente del que llevaban las honradas, que era manto entero.

En el siglo que nos ocupa las principales mancebías estaban en la calle de los Francos. Era la mancebía llamada las Soleras, frecuentada por las gentes más pudientes, aristocráticas y ricas. Otras estaban en la calle Luzón y tenían como clientela la gente del comercio, los forasteros un tanto embobados por el vicio. Y, finalmente, el lucro de mancebía de la plaza de Alamillo era bulliciosa y concurridísima. Era la gran holganza para las clases populares. Existían otros lugares característicos de las mancebías, uno de ellos era el barrio de Lavapiés y muy singularmente en una calle de nombre tan incitante como calle de la Primavera. En ésta era fama que su clientela era la peor y la más peligrosa de la villa y los escándalos que en ella se daban obligaron a los alcaldes de la época de Felipe II en 1628 a diseminar aquellos burdeles más al interior, por las barriadas de San Martín y San Juan.

Hemos de decir que el poder público intervenía con un cierto entusiasmo para tener estas industrias bien controladas, e incluso de una manera formularia, puramente retórica, para intentar apartar de la mala vida a las mujeres que en ella habían caído. También había la buena intención de las órdenes religiosas y aun seglares para corregir los vicios y apartar de su mala vida a las meretrices. Durante la Cuaresma, el Viernes de Dolores, acudían a la iglesia del Carmen Calzado y allí un predicador las exhortaba con voz tremebunda y acento patético a abandonar aquel camino de perdición y a besar el crucifijo. A las arrepentidas —si es que había alguna, cosa no frecuente— las llevaban al convento de las Arrepentidas, situado en la calle de Atocha.

La higiene y la salud en las mancebías

Hacia 1620 se intentó reglamentar y vigilar la salud de las pupilas de los burdeles e incluso de las cortesanas que ejercían su oficio. En los establecimientos controlados, un médico reconocía a las mujeres por ver si estaban sanas, y por otra parte la vieja que las custodiaba tenía obligación de dar parte si es que padecían algún mal contagioso. Digamos que antes para entrar en un burdel como la mancebía de las Solanas, una joven tenía que aportar un documento ante el juez de su barrio, conforme era mayor de la edad de doce años, que había perdido la virginidad, era huérfana o de padres desconocidos, o abandonada por la familia, siempre que ésta no fuese del estamento noble. Había una ceremonia al efecto: se presentaban ante el juez, quien, patriarcal y escéptico, les enjaretaba un sermón sin convicciones, citado con voz monótona y sacristanesca y en él que las invitaba a desistir de sus torcidos intentos. Después de esta deslucida plática moral, que normalmente no las convencía, les otorgaba un documento donde las autorizaba a ejercer su oficio, siempre —como hemos señalado— bajo unas estrictas reglas sanitarias, y las inspecciones del lenocinio por expertos e inspectores que muy a menudo de nada servían, no sólo por la escasa ciencia de quienes estaban destinados a estas examinaciones, sino también por su poco o ningún celo.

Con ello hemos de señalar que la salud en el mundo del vicio madrileño andaba muy de capa caída. La aparición masiva de la sífilis ocurrió a finales del siglo XV. Ésta era la enfermedad que más temían y que aparece frecuentemente en la poesía satírica y en la narrativa de la época. Ya en el siglo anterior, la sífilis es principal protagonista de *La lozana andaluza*. La lozana, a pesar de que hoy este adjetivo significa salud y frescura, era sifilítica según lo explica punto por punto su autor. La presenta con huellas visibles de la enfermedad, desde una estrella en la frente, hasta la pérdida del vello, aunque no de la cabellera. En el Madrid del XVII las alusiones a la sífilis son constantes y en ella es especialista sobre todo Francisco de Quevedo, que alude no tan sólo al que entonces en España se llamaba «mal francés» y en Francia «mal napolitano o español», sino a otras enfermedades, como el «caballo», que si no me equivoco eran granos y tumores en las ingles producidos por las enfermedades venéreas, de no errar el *Diccionario de Autoridades*. Así alude Quevedo a esta enfermedad contagiosa:

> *Mujer hay en el lugar*
> *que a mil coches por lacayos*
> *echará cuatro caballos*
> *que los saben bien echar.*

También Cervantes habla de la sífilis en su novela *El casamiento engañoso*, refiriéndose al alférez Campuzano: «A lo si estoy en esta tierra o no, señor licenciado Peralta, el verme en ella no le responde; a los demás hago preguntas que no tengo que decir, sino que salgo de aquel hospital, de sudar catorce cargas de bubas que me echó a cuestas una mujer que escogí por mía, que non debiera.» Insiste Cervantes en la misma obra a uno de los inevitables efectos de las bubas sifilíticas que era la alopecia, denominada vulgarmente lupicia, y también a lo italiano, pues de Italia venía la enfermedad «pelanela». Sobre la pérdida de cabello, resulta señal clara de enfermedad en casi todos los autores de la picaresca. Juan de Luna, en sus *Diálogos familiares*: «Una de las más malas mujeres del mundo: una putilla que ha revuelto más camas que pelos tiene en la cabeza que son tan pocos que bien se pueden contar porque siempre está llena de bubas.» También Quevedo en un romance, empieza:

> *Tomando estaba sudores*
> *Marica en el hospital:*
> *que el tomar era costumbre*
> *y el remedio es el sudar.*

Donde se indica bien clara la alusión de tomar como practicar el coito y sudar como intentar curar la sífilis adquirida a través de un amor venal. Explica los signos externos de la sífilis: pérdida de cabello y granos, debilidad de los dientes, etcétera:

> *Las perlas alcorzadoras*
> *y enveleco oriental*
> *que atenazaban los bolsos*
> *con respeto muerden pan.*
> *Su cabello es un cabello*
> *que no le ha quedado más.*

Y así sucesivamente van escribiendo los avances de la terrible enfermedad venérea.

Interesante será aludir quizá a cómo se intentaban curar los estragos de la sífilis. Curaban la enfermedad a base de sudores, como bien explica Cervantes en boca del alférez Campuzano: «Fue la enfermedad caminando al paso de mi necesidad, y como la pobreza atropella la honra y a otros lleva la horca y a otros el hospital y a otros les hace entrar por las puertas de sus enemigos con ruegos y sumisiones, que es una de las mayores miserias que puede suceder a un desdichado, por no gastar en curarme los vestidos que me habían de cubrir y honrar en salud, llegado el tiempo en que se dan los sudores en el Hospital de la Resurrección (se refiere al hospital de Valladolid) en él donde he tomado cuarenta sudores.

Dicen que me quedaré sano si me guardo. Espada tengo, lo demás Dios lo remedie...»

En la edición crítica que hizo don Agustín González de Amezua en 1912, de *El casamiento engañoso*, existe una nota harto significativa sobre la terapéutica a seguir con los nuéticos. La copiaré, puesto que es breve y enjundiosa: «Cuatro eran los géneros de remedios recibidos comúnmente para tratar esta enfermedad: el cocimiento de guayacán o palo de Indias, las unciones, los emplastos y los sahumerios. El más usado en los hospitales españoles era el primero, que habré de describir, pues fue el empleado por el alférez Campuzano en el hospital de la Resurrección. Recogíase el enfermo, guardando cama, a uno de los aposentos del hospital que exprofeso buscábanse pequeños. Eran enfermerías altas, sin ventanas, entapizado el suelo con tablas, alfombras, mantas y esteras, y sin otra luz que velones de unas lámparas de aceite, rechazando las de las velas que causaban humo. Encendíanse braseros con leña menuda en él, ayudando a este sudorífico el jarabe de palo, sustituido a veces por la zarzaparrilla, el sasafrás o la raíz de China. De cuyo cocimiento propinábanse al paciente nueve onzas muy de mañana y otras tantas a la tarde, envolviéndole, además, en una sábana caliente, sobre el correspondiente aparato de frazadas recias, mantas de lana y toda suerte de ropa de pelo y abrigo. Guardábase un régimen muy severo y parco en cuanto a la comida, recomendando mucho la quietud y el sueño y al cabo de treinta días, ordinario término de la cura, dábanlo por sano.»

De una manera más pintoresca Castillo Solórzano, en su libro *Tiempo de regocijo y carnestolendas de Madrid*, publicado en 1627, dice:

> *Pisé gálicas provincias*
> *al salir de su mazmorra*
> *y aunque de alhajas pelado*
> *no me escapé de pelona...*
> *Ensayos para difunto*
> *me previno estrecha alcoba*
> *donde en la tumba me encierren*

y en la mortaja me embolsan.
Hecho viviente alquitara
con el fuego y con la ropa
lo que me holgué paso a paso
vine a sudar gota a gota.

Quizá interesa también la dieta a que se sometía a los bubosos que tomaban estos sudores. Sólo se alimentaban con una parva colación de bizcochos acompañados de algunas pasas y almendras. Frutos secos, que en opinión general que ha llegado casi a nuestros días, aumentaban y agilizaban la memoria. Así, Francisco de Osuna en la *Sexta parte del abecedario espiritual* (Medina del Campo, 1554) escribe sobre este régimen: «Bien sería en el caso presente buscar algunas cosas que ayuden a la memoria. La primera es guardarse de cosas húmedas y comer cosas como son pasas y almendras, porque las cosas húmedas engendran muchos vapores que suben a la cabeza y enturbian la memoria.» También Rodrigo de Espinosa de Santillana era partidario de las pasas para los tratamientos sudoríficos de la sífilis. Aconsejaba que se dejaran las pepitas y que las echaran en vino durante la noche a la mañana y así tomadas en ayunas aumentaban la memoria. Como es sabido, hasta hoy ha llegado la creencia de que para mantener buena memoria los rabitos de las pasas son más eficaces, al decir del vulgo, que las pasas mismas.

El mayor burdel de Madrid: la calle

A pesar de las mancebías, de las casas cerradas, de las casas llanas, de los tejemanejes en las casas de conversación y en los garitos, resulta evidente que en el Madrid del XVII el lugar de contratación de prostitutas y busconas era la calle.

El francés Anton de Brunel, que recorrió toda España y paró bastante tiempo en Madrid, escribe refiriéndose a esta ciudad: «Hay aquí cuatro fiestas o procesiones fuera de la ciudad que son otras tantas exhibiciones de prostitutas. Entonces es menester que todos los galanes se hagan presentes, y si se olvidan de ello todo lo pierden y no son hombres de honor.

»Por esto rivalizan entre sí en hacer lucir a estas infames y alcanzan gloria con ello. No hay ciudad en el mundo donde se ven más meretrices a cualquier hora del día. Las calles y paseos están llenos. Van con velos negros y los repliegan sobre el rostro dejándose un ojo al descubierto. Hablan con atrevimiento a la gente, mostrándose tan impúdicas como disolutas. En Italia no lo son tanto, pues no van a buscar los hombres como aquí. Estas pecadoras campan con entera libertad por Madrid porque las grandes damas y las mujeres de a pie apenas salen.»

Efectivamente, la literatura satírica habla y no acaba de las mujeres pedigüeñas, incitantes, molestas y a veces perentorias que circulaban por Madrid en las cercanías de los burdeles, que estaban situados en la calle Mayor desde San Felipe el Real hasta la Puerta del Sol y Santa María de la Almudena. El entremés titulado *Las aventuras de Corte* explica: «Yace entre la calle Mayor y la plazuela que dicen ser de San Salvador, la una habitada por mercaderes, la otra por escribanos, un sitio que llaman la Platería. Éste, pues, más lucido que la armería de Milán, es la armería de Amor, cuyos publicanos, aunque no dioses, tratándose en mejores metales, labran en vez del hierro helado lo más rubio, lo más brillante del oro, lo más terso de la plata...»

Nadie como Quevedo puede describir con tan vivos colores y ácidos tan mordientes una aventura de este tipo: «Venía por la calle del Niño hacia mí una mujer hermosa, riéndose de mis pasos cojos, y sabiendo que la miraban y llegando a los corazones llenos de deseo. El mío no fue menos y era una puta de lujo, tapada de medio lado, que se diría que su rostro era nieve y grana. Rosa que se conservaba en amistad, esparcido por labios y mejillas. Los dientes, blanco marfil y las manos que de rato en rato elevaban el manto negro, aficionaban a los corazones, y el talle y el paso, ocasionando pensamientos lascivos. Tan rica y galana como cargada de joyas —recibidas y no compradas—, me sedujo y llegamos al trato amoroso.

»¡Qué cejas tan negras, esforzando la blancura de la frente, qué mejillas donde la sangre, mezclada con leche, engendró lo rosado! ¡Qué labios encarnados, guardando perlas, que la risa muestra con recato! ¡Qué cuello, qué manos, qué talle! Pasé la noche con ella. Amanecimos y quedé confuso. ¿Era aquella mujer la visión que veía? Se levantó rápido y fue a componerse. Se ha de saber que lo primero que hacen las mujeres en despertando no es vestir el cuerpo, sino la cara, la garganta y las manos. Luego se ponen las sayas. Me di cuenta de que aquel cabello era comprado y no criado, que las cejas tenían más de ahumadas que de negras, que la blancura del rostro y de las manos era untada. Así están tan cargadas de afeites que aunque fueran bellas, y mi tusona lo era, no lo parecen cuando se les derrumba la arquitectura del rostro y lo enjalbegado del cuerpo.»

Como bien vemos, don Francisco no se recata en escribir que hace trato público en plena calle con una beldad mercenaria. La calle de Madrid es muy importante, como lo vimos en su capítulo y lo era también para las pasiones del amor.

VOCABULARIO DEL AMOR VENAL

andorra. Es la prostituta que gusta de callejear y andar por la calle, la buscona callejera. Así en *La lozana andaluza*: «¿Y quién es aquella andorra que va con sombrero tapada, que va culeando y dos mozas lleva?»

atacandiles. Manceba de clérigo.

cabalgadas para Francia. Esta frase quería decir contagiar enfermedades venéreas; cabalgadas o cabalgar significaba en el hombre practicar el coito. La alusión a Francia es porque en España llamaban mal francés a la sífilis.

campo de pinos, pinar. Según el *Vocabulario* de Juan Hidalgo, significa mancebía. Y María Pinos, una pupila del burdel. Pino en principio significó virgo, como reza una canción antigua, intencionada y bella:

> Aquel pino que está en el pinar
> florido y hermoso,
> a cortarlo quisieron entrar
> cuatro buenos mozos.
> A cortarlo quisieron entrar,
> pero no pudieron.
> A cortarlo quisieron entrar
> mi amor el primero...

catalinas. Traemos esta palabra aquí porque tiene una larga extensión en la literatura popular y picaresca. Significa bubas sifilíticas. José Luis Alonso Hernández, el gran especialista en la lengua nacional del siglo XVII, dice: «Tomado muy probablemente del nombre Catalina, que significaba pura, en recuerdo de la virgen y mártir Catalina de Alejandría, con una inversión clarísima en el campo semántico, ya que las bubas proceden en la mayoría de casos de enfermedades venéreas, eran todo lo contrario a la pureza.»

descolgar la cama. Las prostitutas solían ejercer su oficio descolgando una cama de cordeles, semejante a una hamaca, doblada o recogida en el techo. Entiendo que esta lascivia acrobática debía ser poco confortable.

dehesa, tener la vaca o la yegua en la. Frase que decía el rufián que tenía una mujer en la casa llana. Lope de Rueda en su comedia *Eufemia*: «... veamos de cuando acá han tenido ellos el atrevimiento de meter la vaca en la dehesa».

devota. Se decía de la profesional que trabajaba fundamentalmente con gente de iglesia. Los clientes eran de variada condición y de diferente trato, que podía ir desde el concubinato a estar instalada por cuenta propia o a cargo de unos cuantos clérigos. Así se lee en *La Celestina*: «Cada cual, como aquellos diezmos de Dios, así le venían luego a registrar para que mirase yo y aquellas sus devotas.»

escalfafulleros. Es una prostituta de baja calidad que se dedicaba a excitar fulleros y a encandilar rufianes y valentones de categoría diversa.

gorrona de puchero en cinta. La gorrona era una prostituta de poca categoría según el *Diccionario de Autoridades*: «Mujer de baja suerte que sale a prostituir su cuerpo para ganar torpemente su vida.» La gorrona de puchero en cinta era una variante de la anterior. Se trataba de una puta famélica que se prostituía simplemente por la comida.

hurgamandera. Según el vocabulario de Juan Hidalgo es mujer pública. Existe también un derivado, «hurgamande», que es el criado y rufián de la prostituta.

iza. Mujer pública. Camilo José Cela en su libro *Izas, rabizas y colipoterras. Drama con acompañamiento de cachondeo y dolor de corazón*, cita un soneto del *Cancionero de Amberes* (1557):

> De cuantas coimas tuve toledanas
> De Valencia, Sevilla y otras tierras
> Izas, rabizas y colipoterras...

Iza era expresión vulgar y quevedesca.

lechuza de medio ojo. Prostituta callejera, tapada a medio ojo por el manto. El nombre de lechuza indica nocturnidad:

> ¿Tú te comparas conmigo
> que peco de mar a mar
> si lechuza de medio ojo,
> vas de zaguán en zaguán?
> Francisco de Quevedo

maleta. Se denominaba así a la mujer pública que acompañaba a los soldados. Desde el siglo XVI se toleró este acompañamiento como mal menor. Hacia 1640 se restringió a un ocho por ciento en proporción al número de soldados. Así se lee en el *Estebanillo González*: «En la compañía éramos cerca de cincuenta... y con cinco mozas que llevábamos en el bagaje.» Se las llamaba también soldaderas.

mandil. Significaba criado de rufián o de mujer pública. Palabra muy usada en todo el lenguaje de la germanía del siglo XVII. Así, por ejemplo, muy a menudo eran jóvenes que luego pasaban a rufianes, a ladrones o a otro mal oficio. Así, por ejemplo, en el *Cancionero* de John Hill, se lee:

> *Pasó plaza de mandil*
> *desde quince a diecisiete.*

Con el mismo significado está mandilejo, mandilete, mandilón, en la que se añade una significación de cobarde y mandilada, que es junta de criados, de rufianes y prostitutas.

manfla. Mancebía.

marca. Ramera, mujer pública.

marca godeña. Ramera principal, «que ganaban hasta cuatro y cinco ducados al día y ostentaban muy buenas ropas».

manto tendido, mujer de. Moza joven de costumbres livianas que se prostituye por cuenta propia, pero que según el texto de Góngora usa como tapadera de diversos oficios:

> *Violante de Navarrete:*
> *moza de manto tendido,*
> *la bandera de rodete,*
> *entre hembras luminaria*
> *y entre lacayos cohete.*

medio manto, damas de. Las ordenanzas de las mancebías de 1621 disponían que las mujeres públicas llevaran medios mantos negros.

mesón de las ofensas. Burdel, prostíbulo.

mula del diablo. Se decía de las prostitutas con clientela eclesiástica y tenía una connotación muy peyorativa e insultante. Se lee, por ejemplo, en la segunda parte del *Lazarillo de Tormes* de J. de Luna para referirse precisamente a la mujer de Lázaro a causa de las relaciones con un arcipreste: «Pues quería juntarme con una ramera, piltrafa, escalentada, matacandiles y finalmente mula del diablo, que así llaman en Toledo a las amancebadas de los clérigos.»

padre. En lenguaje de germanía, encargado de una mancebía. Véase Cervantes en *El rufián dichoso*:

> AUTORÍA.   *El Alcayde (con perdón,*
> *Señor) de la mancebía.*
> *A quien llaman Padre hoy día*
> *Las de nuestra profesión.*

Y era llamado «suegro» por quienes frecuentaban a sus «hijas». Véase el desenfadado Quevedo en su jácara *Zampuzando en un banasto*:

> *Dios perdone al padre Esquerra,*
> *pues fue su paternidad*
> *mi suegro más de seis años*
> *en la cueva de Alcalá...*

Cueva era mancebía en lenguaje de jaques.

pandorga.   Prostituta grande, madura, fondona. Se las llamaba también «pandorgas de la lujuria» por un romance recogido en el *Cancionero* de John Hill:

> *Porque sobre la Trigueros*
> *pandorga de la lujuria,*
> *respeto que fue de un tiempo*
> *de Benito el de la Rubia...*

El *Diccionario de Autoridades* la define y dice que en estilo festivo y familiar se llama a una mujer muy gorda, pesada y floja en sus acciones.

partido, moza del, también **puestas al partido.**   En el siglo XV se hacían distinciones entre las del partido que se entregaban a discreción a quienes pagaban sus favores y rameras. Rodrigo de Reynosa, *Coplas de las comadres*:

Ha andado puesta al partido
después ha sido ramera...

Más tarde se confundieron los conceptos.

perro muerto, dar.   No pagar a una prostituta despúes
de haber usado y abusado de ella.

piltrofera.   Prostituta a domicilio que recorría muchos
aposentos y dormía en muchos piltros o camas. Era
una palabra profundamente despectiva, como lo demuestra esta frase de *La lozana andaluza:* «Mira qué
vieja raposa por vuestro mal sacáis el ajeno: puta vieja,
zimitarra, piltrofera. Soislo vos desde que nacisteis.»

quilotra.   Según el *Diccionario* de la Real Academia
quiere decir amiga, manceba, y procede de la expresión
«aquella otra», voz rústica que expresa el nombre de la
persona que no se quiere decir.

rabiza.   Significaba «mujer de la mancebía tenida en
poco». Venía, a buen seguro, de que rabiza era la punta
de la caña de pescar donde se pone el sedal y quería
significar pescadora, buscona. En el *Romancero de germanía:*

> *De rabizas y pelotas*
> *tu rancho ten proveído...*

Pelota significaba también prostituta.

ramera.   Llamáronse así a las prostitutas disimuladas
que ponían a su puerta un ramo, fingiendo tener taberna. Luego, por extensión, significó simplemente prostituta con casa puesta o pupila en el prostíbulo. Así en
Garci Sánchez de Badajoz:

> *Quien tapa, ¿sabéis que intenta?*
> *Poner ramo de ramera*
> *dicen los ojos de fuera*
> *ojo, ojo, que aquí hay venta.*

tienda, abrir.   Prostituirse una mujer o hacerse cortesana, lo trae el *Tesoro de la lengua castellana* de Sebas-

tián de Covarrubias: «Abrir tienda, declararse una mujer admitiendo conversación y ruin trato en su casa.»

tragadardos, tragacaramillos o bebedardos. Dicterio que se suele dar a las prostitutas de menor categoría.

trin tin y batín. Prostituta que cobra con dinero contante y sonante, de ahí trin tin por imitación del sonido del metal y en cuanto a batín sería la ganancia del comercio carnal.
Así se lee en *La lozana andaluza*: «Y viejas putas de trin tin y batín.»

tronga. Manceba. Véase Quevedo:

> *Buscones que arrullan trongas,*
> *trongas que arrullan buscones.*

trotona, trótalo todo, dama de trote. Puta callejera y buscona.

trucha. La trucha era la prostituta de una cierta clase y además muy joven. Lo contrario del abadejo, de la gusarapa o de la pelleja, que indicaba una marcada decrepitud. Así leemos en el *Quijote* de Avellaneda: «Yo quisiera ser de quince años y más hermosa que Lucrecia para servir con todos mis bienes habidos y por haber a vuestra merced. Pero puede creer que si llegamos a Alcalá, le tengo que servir allí... con un par de truchas que no pasen de los catorce, lindas a mil maravillas y no de mucha costa.»

tundidora de gustos. Es como decir alcahueta. Así, por ejemplo, viene en Quevedo: «A mi señora doña Ana Chanflun, tundidora de gustos, que de puro añeja se pasa la noche como cuarto falso.»

zimitarra. Puta vieja y alcahueta.

zurrapa. Prostituta de muy baja calidad. Así lo explica Quevedo en su célebre soneto sobre la *Boda de la Linterna y el Tintero*, que eran dos objetos en los que intervenía el cuerno. Escribió Quevedo:

Casóse la Linterna y el Tintero
Jarama y Medellín fueron padrinos
casólos en el rastro buenos vinos
y al fin la boda fue entre carne y cuero.

De sí propio mordió a todo carnero,
quedaron espantados los vecinos
de ver tantos cabrones de los vinos
y al Pardo y a Buitrago en el sombrero.

Las putas cotorreras y zurrapas,
alquitaras de pijas y carajos,
habiendo culeado los dos mapas

engarzadas en cuernos y en andrajos
cansadas de quitarse capas
llenaron esta boda de zancajos.

CAPÍTULO VII

LAS DIVERSIONES: TEATRO, BAILE, TOROS

A nadie se le oculta que la diversión principal de los madrileños durante todo el siglo XVII fue el teatro, a pesar de las prohibiciones y de las curiosas alternativas en su desarrollo. Dispuso Madrid de dos de los más famosos corrales de representación de España y podemos atrevernos a decir que la mitad de la literatura que floreció en el siglo, a las tablas iba destinada. Por otra parte, este teatro pretendía cumplir con una serie de funciones no tan sólo de tipo literario, sino de tipo histórico, social, ideológico y recreativo. No es nada difícil demostrar que entre este género literario de tan varia imaginación y la sociedad española que se solazaba con él había un entramado indispensable: realidad, invención literaria, acción constante y la magia de un lenguaje propio.

El español de aquel tiempo, el madrileño singularmente, necesitaba de exaltaciones patrióticas, de la diversión de una acción continua, y del soporte de una ideología monárquica y católica a machamartillo. Pero además se solazaba con la vida cotidiana, se le daba un módulo y se ofrecía un espejo, a veces deformante, otras veces exaltador. A través del teatro, de la sugestión de su palabra y, sobre todo, del prestigio de la presencia de los cómicos disfrazados de figuras exaltantes, el Madrid de la época se contagió de una manera de ser, aprendió una manera de hablar, copió gestos, visajes, tonos, risas, llantos. Hasta aprendió la mágica sonrisa.

Así pues, el hombre del siglo XVII ha sido el más teatral y truculento, el español más castizo. El maestro Azorín, tan agudo en escudriñar detalles del alma castellana, aseveraba que, cuando se hablaba del teatro clásico español, no se prestaba atención a un hecho altamente significativo. Toda la antigua vida española está en la manera de hacer teatro. No se trata ya de su contenido sino de lo externo, de la forma. El novelista inglés George Meredith —que fue un tipo prodigioso que aprendió el provenzal para poder leer a Mistral y que conocía bien las literaturas clásicas neolatinas— escribió algo muy agudo: «La comedia española se distingue generalmente por lo preciso de sus contornos, como si fueran de esqueleto, por lo rápido de los movimientos como si fueran de títere. La comedia española puede ser representada por un cuerpo de baile y el recuerdo que deja su lectura se define así como el agitado arrastrar de muchos pies.»

Efectivamente, algo hay de esto que Meredith afirmaba: una vertiginosidad de un verbalismo, de una gracia, de una vida intensa y dinámica. Pensamos con Azorín que la vida durante varias centurias sobresaltó a los españoles, con su dinámico ir y venir por el mundo, con su crítica irreflexiva, con sus exaltaciones y derrumbamientos, a través de sus conquistas y de sus hiperbólicos lirismos, en sus depresiones sombrías y durables. Todo estaba perfectamente al aire del teatro clásico castellano que lo supo reproducir con una plástica incopiable. Era la vida la que circulaba, impetuosa y fértil, por nuestro teatro. Y así pudo decir José Bergamín que el español no iba al teatro para pasar el tiempo, sino para ver pasar el tiempo, juego de palabras riguroso y profundo.

Todo estaba tocado de teatralidad en el Madrid del siglo XVII. Incluso su máximo pintor, Diego Velázquez de Silva, se presenta como fiel intérprete del gran teatro de su mundo. ¿Qué es su cuadro *Las meninas* sino uno de los momentos teatrales más íntimos e importantes que se hayan producido en el arte dramático de una corte real?

El teatro español

Al lado del drama erudito del siglo XVI, cuyos principales autores son el filólogo Pedro Simón Abril, el humanista Juan de Mal Lara, épico fracasado pero de grandes alientos, nace el teatro popular, a espaldas de las estructuras clásicas y doctrinarias. Nace de los cómicos de la legua, que también eran autores en la segunda mitad del siglo XVI. Lope de Rueda —batihoja de oficio, que quiere decir los que hacen paños de oro, según explica Cervantes—, Juan de Timoneda, Juan Alonso de la Vega y sobremanera Juan de la Cueva, autor que, a quien esto escribe, tanto le divierte por lo fácil, sabroso y agradable. Luego, a comienzos del XVII, Lope de Vega domina con su personalidad solar, deslumbrante, todo el teatro del siglo XVII y al lado de él los nombres más ilustres: Cervantes, Tirso de Molina, el intrigante y melifluo Luis Vélez de Guevara, el entremesista Quiñones de Benavente, el teatro ético y delicado de Juan Ruiz de Alarcón, la obra de Agustín de Moreto y la de Francisco de Rojas y culminando toda la enorme escenografía barroca, aquel personaje impresionante que fue Pedro Calderón de la Barca. Todos ellos se representan en Madrid, primero en los corrales y luego en el regio Alcázar y en el teatro del Buen Retiro. No olvidemos estas representaciones reales, porque incluso se ha atribuido la paternidad de varias comedias, escritas bajo el seudónimo de *Un ingenio de esta corte*, a Felipe IV. Fueron representadas en corrales, especialmente en el de la Cruz, que era el predilecto del rey-poeta.

Como hemos señalado, cualquier cosa era una buena excusa y un fascinador pretexto para representaciones teatrales. La menor fiesta cortesana, religiosa o popular, no podía proyectarse sin aportar farsas, autos sacramentales, juguetes y divertimientos. Si era recibido con el debido boato un príncipe, como el de Gales, o llegaba un embajador pontificio, o se festejaba a un santo recién erigido a los altares o se cele-

139

braba el simple traslado de una imagen, inmediatamente se pensaba en montar la circunstancia de una pieza teatral. De tal modo proliferaban las compañías que, ya en 1615, un decreto —que en el transcurso del siglo XVII fue profusamente conculcado— limitaba el número de compañías teatrales en España a doce. Se las llamó, con resonancia de la caballeresca carolingia, *Los doce pares de la fama*.

Los públicos teatros eran llamados corrales, porque este arte popular había nacido en los corrales de las posadas. Con este nombre ilustraron el Madrid teatral del XVII. El primero por antigüedad se llamó el Corral de la Pacheca, llamado así por haber sido el corral de la casa de doña Isabel Pacheco. Había sido comprado en 1582 por las cofradías de la Pasión y de la Soledad, que habían fundado la casas de Expósitos y luego rigieron el Hospital General Madrileño. Para favorecer a estas caritativas instituciones se beneficiaban de un privilegio real, según el cual podían, para granjear medios para tan abnegadas obras piadosas, organizar representaciones teatrales. Años más tarde, este Corral de la Pacheca, perdida la memoria de esta dama se le llamaría Corral del Príncipe. Este cambio debió de acaecer hacia 1633 o 1634 y llevó este nombre de Corral o Teatro del Príncipe hasta 1849, en que se llamó como hoy, Teatro Español.

El otro corral, el de la Cruz, era, como hemos señalado, el predilecto de Felipe IV, sobre todo desde que conoció en él a María Calderón, *la Calderona*, que fue su amante y madre de su hijo bastardo don Juan José de Austria.

En cuanto a la estructura y funcionamiento de estos corrales tenían las cualidades y defectos de los tiempos de los actores trashumantes, llamados también cómicos de la legua, que instalaban el escenario en una plaza cualquiera de un pueblo, en el ángulo formado por dos casas o en cualquier portalón que tuviese un revestimiento para las representaciones. Se comprueba que, en los corrales madrileños, el espacio destinado a los espectadores era una gran platea que ocupaban los hombres, llamados «mosqueteros» entonces y que luego se los llamó alabarderos.

Al fondo se apiñaban las mujeres en la denominada cazuela, completando el cuadro un par de bancos delante de la tribuna con asientos escalonados para la gente más distinguida. Al principio servían de palcos las ventanas y balcones de las casas colindantes con el local, pero más tarde, ya en plena boga del teatro, se instalaron galerías y miradores en los muros del edificio.

Las representaciones se celebraban siempre por la tarde y a cielo raso. El horario comenzaba a partir de las dos de la tarde de octubre a marzo, y a las cuatro en los meses de primavera y verano. Sólo un lienzo de lino como cubierta servía para velar los rigores del sol canicular.

En cuanto a la instalación del escenario era de una sencillez ruda y primitiva. El escenario presentaba un telón pintado al fondo, inmóvil normalmente durante toda la representación, y cada cambio de escena se sugería siguiendo las indicaciones del texto. Sorprende la pobreza escenográfica del Corral de la Pacheca y de la Cruz en decoraciones y accesorios. A veces aparecían decoraciones compuestas de retazos de tela de algodón y en alguna ocasión de mucho lujo, incluso de seda. Luego estaba la llamada «maquinaria», que era pobre, simbólica, y desdichada. El vestuario y las caracterizaciones no eran gran cosa. Los dioses aparecían a caballo de una viga sin cepillar, el sol se vislumbraba por una docena de faroles con sus luces de sebo, los truenos consistían en un ruido vago e informe producido por un costal de piedras que unos ganapanes removían de un extremo al otro debajo de las tablas, y cuando en la escena se invocaba a demonios, éstos subían con gran cachaza y benigna tranquilidad por las escaleras de los escotillones y aparecían con su cachaza infernal por los agujeros abiertos en el tablado.

Como es natural, aquella pobre tramoya obligaba a más inspiración a los poetas, a una mayor vivacidad descriptiva, a fascinar a través de las voces de los actores y de las representantas a un público heterogéneo, crédulo, indisciplinado y en gran parte inculto. Emociona pensar en aquellos actores, clavados en medio del escenario, luciendo trajes abigarrados, de un fasto deslucido y oírles las largas tiradas de versos únicos, palpitantes e inmortales, o declamar con voz precisa y dulce los sonetos amorosos, o narrar esbeltos romances descriptivos. Solos, con su arte y con la literatura de los más altos poetas de su tiempo.

Pero el público no tan sólo toleraba estas pobres artificiosidades, sino que se divertía, se intoxicaba literalmente con la magia de la poesía dramática. Si había muchos incultos y no pocos analfabetos, en cambio, ha sido el público madrileño del XVII el más literario que ha conocido jamás teatro popular alguno. Porque sólo por el conjuro de la poesía, el público imaginaba que se pasaba súbitamente de una selva a un palacio, de una caverna a un altísimo castillo, sin moverse del lugar. Sólo se movían —¡y cómo!— las palabras, creando metáforas, imágenes, melodías y vida. Sólo era necesario que el recitante se ocultara un segundo tras uno de los colgajos que servían de telones y volviera a las candilejas diciendo algo como: «Ya estamos en el palacio», o «Ya hemos llegado a la playa» y el espectador aceptaba con ilusión esta vertiginosidad e imaginaba playas, palacios, montañas, prisiones, iglesias, salones, jardines.

En cambio, importaba mucho lo que se dijera en escena. La injusticia demasiado flagrante, una vulneración de las leyes amorosas o del buen gusto o los casos del mal ejemplo repugnante suscitaban un profundo escándalo, aunque se basaran en un hecho acaecido. El público no quería sufrirlo y castigaba con sus airadas muestras su desaprobación al poeta, aunque fuera Lope de Vega o don Pedro Calderón de la Barca, tan amados de los madrileños. Así pues, Francisco de Rojas Zorrilla, uno de los preferidos autores de la «mosquetería», fue silbado por ella en la comedia *Cada cual lo que le toca*, por presentar a un hidalgo que, al casarse con su novia, encontró que no era doncella y había sido violada. Esto para un espectador masculino del siglo XVII era intolerable. Y al propio Calderón de la Barca le pasó lo mismo en *El castigo en tres venganzas* porque un caballero daba una bofetada a su padre. La algazara y los silbidos fueron tan grandes que no dejaron seguir adelante. Si lo hubieran permitido se habrían dado cuenta que don Pedro Calderón conocía bien a su público y que el tal padre era un padre supuesto, fingido, un sujeto nada recomendable. En cambio, este público recibía con satisfacción terribles venganzas de la honra, atroces ejecuciones de adúlteros.

Las broncas y los pateos se iniciaban normalmente en la mosquetería que estaba compuesta de lo más granado de zapateros, sastres, escribanos, hidalgos, boticarios y cirujanos, gariteros, entretenidos, músicos, poetas, soldados, valentones, escuderos, sobremanera estudiantes. Ellos daban la pauta y eran temidos y su éxito a la vez muy deseado. Si Lope de Vega los llamaba la mosquetería, el inapelable juez, en su obra *El robo de Elena*, afirmaba solemnemente: «Donde no hay mosqueteros no hay senado.» Por cierto que el silbar en los teatros nació a principios del siglo XVII. Parece que hasta 1613 no se usó el estentóreo silbido y que antes con pateos y golpes con las punteras de los bastones, las conteras de las vainas de las espadas había suficiente. A ello se unieron los silbidos y, andando el tiempo, otros utensilios estridentes como carracas, campanillas, zambombas, tablillas de San Lorenzo, capadores —que era un artilugio de madera con seis o siete silbatos— y la ruidosa ginebra, que era un instrumento grosero sólo inventado para hacer ruido.

El desarrollo de una representación teatral

Por lo normal las representaciones se desarrollaban de la siguiente manera: salía en primer lugar el guitarrista de la compañía tocando unos aires populares para entonar al público. Luego se cantaba alguna canción conocida y en otras nuevas con músicos que salían a las tablas, sin faltar el consabido tañedor de vihuela. A poco tardar venía la loa. Era un recitado indispensable en toda función de teatro. Era tradición que los representantes hicieran atención y silencio al auditorio y muy a menudo se adelantaba una noticia de la obra principal que iba a representarse. Frecuentemente era un simple monólogo declamado con un fondo musical dirigido a los mosqueteros o a la cazuela de las mujeres, siempre tan alborotada y aun más al principio de la representación. Podía recitar la loa la actriz más veterana o la de mayor favor del público para concitar de entrada su benevolencia. Después de la loa venía la comedia y, en los intermedios, un entremés o bailes con castañuelas. El baile se solía repetir al terminar la función.

La comedia, pieza principal

Una representación participaba en mayor o menor medida de loa y entremés, género ligero, de la danza, del canto y, finalmente, de la comedia, que era la pieza principal. Como hemos dicho, la loa pretendía congraciarse con el público, que era por lo general descontentadizo, parcial y exigente. Así pues, en los escándalos, se pasaba de la silba y el pateo a una protesta más contundente, arrojando pepinos y hortalizas en el escenario, cuando no se echaban cosas más contundentes o denigrantes. Recordemos que en *El diablo cojuelo* de Luis Vélez de Guevara —escritor que como poeta teatral bien conocía el paño, pues había sido silbado frecuentemente— explica, nombrando a un poeta que está pergeñando versos para una comedia: «No faltará, en cualquier parte, quien la escriba o se la representen, quien le crucifique a silbos, legumbre y edificio.» Esta palabra «edificio» ha hecho pensar a los eruditos en proyectiles más contundentes que los habituales pepinos, como podían ser ladrillos, piedras o fragmentos de yeso. En cuanto a las legumbres en el lenguaje corralesco, querían significar no sólo las hortalizas, sino toda suerte de golosinas que saciaban la gula del espectador durante la representación: obleas, cañutillos de suplicaciones, confituras, piñones, tostones, peros, nueces y castañas.

Fernando de Rojas, el cómico de la legua, que escribió su poco entretenido viaje, titulado precisamente *Viaje entretenido*, donde apenas viaja y bien poco divierte, era un gran autor de loas; poseía el secreto de los versos enjabonados de lisonjas. Lo era asimismo el entremesista Luis Quiñones de Benavente, que tenía gran éxito y llegaba con ingenua ironía a decir cosas como ésta en el final de una loa:

> *¡Piedad, ingeniosos bancos!*
> *¡Perdón, nobles aposentos!*
> *¡Favor, belicosas gradas!*
> *¡Quietud, desmanes tremendos!*
> *¡Atención mis barandillas!*
> *Carísimos mosqueteros*
> *(granujas del auditorio)*
> *defensa, ayuda y silencio.*

Éste era un género literario para hacer boca, un llamativo para la comedia que iba a venir. El autor de la loa casi nunca era un propio autor, sino un especialista como los que hemos nombrado.

Como hemos señalado, el teatro sufrió la enorme revolución de la presencia de Lope de Vega. Y para explicar sus características, nada mejor, creemos, que copiar unos fragmentos del *Nuevo arte de hacer comedias*, en un verso de la conculcación de las reglas clásicas e irregularidades de sus comedias, escrito con cierto aire irónico y alegre. Está redactado con descuido, a vuela pluma, al hilo de los pensamientos, pero creo que a pesar de sus imperfecciones no existe un texto en todo el siglo que traduzca mejor, más espontáneamente, las ideas del fundador del drama español que siguieron dócilmente todos los grandes autores:

> *Mándanme ingenios nobles, flor de España...*
> *que un arte de comedias os escriba*
> *que al estilo del vulgo se reciba.*
> *Fácil parece este sujeto, y fácil*
> *fuera para cualquiera de vosotros*
> *que ha escrito menos de ellas, y más sabe*
> *del arte de escribirlas y de todo:*
> *que lo que a mí me daña en esta parte*

es haberlas escrito sin el arte.
No porque yo ignorase los preceptos...
mas porque, en fin, hallé que las comedias
estaban en España en aquel tiempo
no como sus primeros inventores
pensaron que en el mundo se escribieran,
mas como los trataron muchos bárbaros
que enseñaron al vulgo sus rudeñas;
y así se introdujeron de tal modo,
que quien con arte agora las escribe
muere sin fama y galardón, que puede,
entre los que carecen de su lumbre,
más que razón y fuerza, la costumbre.
Verdad es que yo he escrito algunas veces
siguiendo el arte que conocen pocos;
mas luego, que salir por otra parte
veo los monstruos de apariencias llenos,
que este triste ejercicio canonizan,
a aquel hábito bárbaro me vuelvo;
y cuando he de escribir una comedia
encierro los preceptos con seis llaves,
saco a Terencio y Plauto de mi estudio
para que no me den voces, que suele
dar gritos la verdad en libros mudos,
y escribo el arte que inventaron
los que el vulgar aplauso pretendieron;
porque, como los paga el vulgo, es justo
hablarle en necio para darle gusto.

Lo cierto es que Lope de Vega entre las dos posibilidades en que se dividía su espíritu de hombre culto —o halagar al vulgo o estar de acuerdo con los doctos—, eligió la primera, a pesar de que Lope de Vega siempre alardeó la erudición de latines arteros y a veces traídos por los cabellos, y aunque pesaban en él doradas letras clásicas, su instinto no le equivocó: tenía el público delante y sabía escribir para él. Convirtió la vitalidad en una estética, su inmensa facilidad fue un elemento dinámico, a veces lírico, a veces trágico. Inventó con una imaginación feliz todas las intrigas de la escena. Aquel sacerdote de sotanilla y manteo ponía la osadía literaria sobre cualquier otra virtud y él le dio el tono, la elegancia y el primor. Su teatro pervivió en sus imitadores y en su propia vitalidad. Gran parte vive todavía hoy, porque la gloria no dice jamás su última palabra.

El baile teatral y el otro

Si el teatro fue el embeleso y la obsesión de los madrileños, el baile, venido en sus mayores especialidades de Andalucía, fue una pasión contagiosa para aquellos ojos acostumbrados a exigir la máxima plástica de las palabras, de las imágenes, y de los cuerpos. En el siglo XVII en ningún sitio como en España se bailó de una manera más sugestiva, inquietante, voluptuosa y, cuando se terciaba, ceremonial, como en Madrid, en Sevilla o en Toledo. Acaso sólo en Nápoles con sus tarantelas... Las representantas cantaban, bailaban y sobre todo recitaban los versos de una manera solemne, latidora y atrevida. Jusepa Vaca, por ejemplo, actriz memorable, bailaba la chacona y la zarabanda como nadie. Su hija Mariana alborotaba gentilmente en las danzas llamadas de cascabel que escandalizaban a los graves varones y estremecían a los predicadores: la zácara, la tárraga, el rastro, la pironda. Francisca Baltasara, comedianta atrevida, de linda cara y mejor talle, representó perfectamente piezas vestida de hombre y a caballo, esgrimió en escena y multiplicaba guapezas y desafíos. Baltasara, tan disparatada y extravagante, bailó como nadie los zapateados, el dongolondrón, el zambapalo y el Antón colorado. Jerónima de Burgos, farsanta favorita de Lope de Vega —y de su amigo el duque de Sesa—, bailaba perfectamente la chacona, el rastro, el canario, el torneo e incluso las graves danzas alemanas. El público, fácil y gustoso ante el baile, solía abandonar muy satisfecho el Corral.

Los principales bailes teatrales son la zarabanda, la chacona, la jácara y la capona. La primera mención de la zarabanda aparece en Fernando de Guzmán Mejía. La primera definición en el *Tesoro de la lengua castellana* de Sebastián de Covarrubias, que dice: «Zarabanda: baile bien conocido en estos tiempos, si no lo hubiera desprivado su prima la chacona. Es alegre y lascivo, porque se hace con meneos de cuerpo descompuestos. Usóse en Roma y cita los versos conocidísimos de Marcial sobre las danzas un tanto lúbricas de las danzarinas gaditanas...» Luego, el docto canónigo de Cuenca y consultor del Santo Oficio, por más señas, que era Sebastián de Covarrubias, prosigue: «Aunque se mueven con todas las partes del cuerpo, los brazos hacen los más ademanes sonando las castañetas. La palabra es hebrea, del verbo "çara" que vale por esparcir o cerner, ventilar, andar al redondo, todo lo cual tiene la que baila la zarabanda, que cierne con el cuerpo a una parte y a otra y va rodeando el teatro o el lugar donde baila.» Otras citas interesantes son contemporáneas a esta definición de Sebastián de Covarrubias. Cervantes se refiere a ella llamándola «la alegre zarabanda», en *La ilustre fregona*. La incluye en el repertorio de *La gitanilla preciosa* y crea un neologismo de poetas zarabandos en *El viaje del Parnaso*. Pero donde más Cervantes se detiene es en *El celoso extremeño*, donde escribe: «¿Qué diré lo que ellas sintieron cuando le oyeron tocar el *Pésome dello hermana Juana* y acabar con el endemoniado son de la zarabanda, nuevo entonces en España? No quedó vieja por bailar ni moza que no se hiciese pedazos, toda la sorda y con silencio extraño, poniéndose centinelas y espías por si el viejo despertaba.» El ataque contra la zarabanda fue un lugar común entre los moralistas de la época, por considerarlo un baile lascivo. Un texto de 1583 es la fecha de la primera condenación. Fue rigurosamente prohibido por los señores alcaldes de Casa y Corte de su majestad en Madrid, a pesar de las protestas populares:

> *La zarabanda está presa*
> *y dello mucho me pesa,*
> *pues merece ser condesa*
> *y también emperadora.*

La zarabanda conoció en España durante todo el siglo un éxito tremendo, a pesar de sus reiteradas prohibiciones. El docto y sapientísimo padre jesuita Juan de Mariana, tan grave historiador, increpa al baile maldito nada menos que en su capítulo XII del *Tratado de espectáculos*: «Yo lo hice por haberla visto bailar en Sevilla durante la procesión de Corpus, e incluso sus salaces contoneos en algunos conventos de monjas.»

Digamos que la zarabanda pasa de España a Francia en el XVII en sus versiones más vivaces y picantes: es la «*folle zarabande*», la «*zarabande endiablée o effrenée*», de los severos jansenistas que tanto encantaba a espíritus libres como Ninon de Lenclos. La *zarabande* se convirtió en Francia en una especie de minué que se bailaba a dos, perdido su encalabrinado ritmo antiguo. Francia reexporta en el siglo XVIII su *sarabande* a toda Europa, ya convertido en un baile que tiene la rebuscada y pedante dignidad del *grand siècle* francés. Entonces la recogen para sus *suites* Bach, Haendel, Couperin, y gran número de compositores zarabandistas que culminarán nuestro siglo ya con otro espíritu, con la delicada *Zarabanda lejana* de Joaquín Rodrigo. Otra danza de este tipo, a la zaga de la zarabanda fue la jaranera chacona, tan celebrada por Cervantes:

> *Entren, pues, todas las ninfas*
> *y los ninfos han de entrar,*
> *que el baile de la chacona*
> *es más ancho que la mar.*

La chacona que fuera de nuestras fronteras tuvo también un éxito extraordinario comenzó siendo en Andalucía un baile cantado. La chacona, que unos quieren andaluza, fue celebérrima y encalabrinó a todo el público madrileño de la primera mitad del siglo XVII. En las antologías de la poesía española se recoge un refrán de la chacona:

> *Así, vida, vida bona,*
> *vida, vámonos a chacona.*

Así, vida, vida mía,
tú eres el alba de mi día.
Así, vida, vida amores,
oh, sois las rosas destas flores.

Según parece, la chacona se bailaba con castañuelas o tejoletas, panderos y guitarras. Un jesuita de la época abominaba así del vitando baile: «¡Qué ocasión más peligrosa estarse un mancebo mirando a una de estas mujeres, cuando está con su guitarrillo en la mano porreando, danzando con grande compostura, cantando con voz dulce y regalada, bailando con aire y donaire, el cabello con mil lazos marañado, el vestido muy compuesto, la banda recamada, la bastilla corta, la media que salta al ojo, el zapato bordado, las chinelas de plata!»

Otro baile fue la capona, que don Francisco Rodríguez Marín, el gran y ameno cervantista, secretario que fue durante años de la Real Academia Española, de barbas blancas y patriarcales, la reputa por una chacona remozada, una hija menor. La «capona», dice el erudito de Osuna, era un baile andaluz propio de gente apicarada, a juzgar por lo que dice Quevedo en su romance titulado *Corte de los bailes*:

Muy lampiña la capona
y con ademanes brujos
por Córdoba y por el Potro
viene calzada de triunfos.

La capona comportaba casi siempre el cante, de los cuales quedan algunos estribillos: «Andallo, andallo, que soy pollo y voy para gallo.» «El día de Meneses, echad acá mis nueces.» «Cachumaribera, guarda el pollillo, minguillo.» «Aquel machico de bamba.» Frases que pretendían ser intencionadas y lo eran.

Muchos tenían estos bailes por trampas y arterías diabólicas y se los recoge en *El diablo cojuelo* el regocijado escritor de Écija, Luis Vélez de Guevara, que pone en labios del diablo la siguiente frase: «Yo truje al mundo la zarabanda, el béligo, la chacona, el bullicuzcuz, las cosquillas de la capona, el guirigay, el zambapalo, la mariona, el habilipinti, el pollo, la carretería, el hermano Bartolo, el carcañal, el guinero, el colorín colorado, e inventé las pandorgas, las jácaras, las papalatas, las mortecinas, los títeres, los volatines, los saltabancos, los maese corales.» Tan sólo con enumerar estos bailes quien esto escribe se entusiasma. ¡Qué divertido debió de ser el teatro de Madrid en el siglo XVII, cuando se podía ver bailar el zambapalo, a la Infante, aquella actriz de blancura de alabastro, que vivió en Nápoles, cortesana por afición, sensual y soberbia y que es fama que se presentaba en la cama, desnuda, encima de sábanas de tafetán negro. O bien, oír cantar a Ana de Andrade, embeleso del oído por la dulzura de la voz, las coplas encalabrinadas de la zarabanda:

> Anda la zarabanda
> que el amor te lo manda manda.

También, oír bailar y cantar a Ana de Andrade las jácaras del Escarramán, pícaro que casó con la Zarabanda, según un romance de Quevedo y de quien tuvo por hijo el «¡Ay, ay, ay!». Y para ello hemos de recordar dos frases que Francisco Rodríguez Marín evoca y que eran habituales en la época: «Más puta que una zarabanda», y otra que decía: «Anda zaranda, que te caes de blanda.»

Las danzas de corte

También se bailaba en la corte y en los palacios aristocráticos. Se las llamaba danzas más que bailes por ser más acompasadas, honestas y elegantes. Un tratadista anónimo especificaba en 1633: «Los nombres de bailes y danzas son distintos. Las danzas son movimientos más mesurados y graves, en donde no se usa de los brazos, sino de los pies solos. En los bailes los brazos y los pies juntamente.» A las danzas cortesanas se las llamaba también danzas de a cuenta y destacaron, sobre todo durante el reinado de Felipe IV, la españoleta, la alemana, el turdión, el caba-

151

llero, el rey don Alonso el Bueno, el rugero, el canario, las folías y la gallarda y la pavana. Estas danzas las bailaron Felipe IV, las reinas y las infantas, y las ricas beldades palaciegas en los saraos del Real Alcázar o del Buen Retiro. Estas danzas eran bastante elogiadas. Luis de Góngora, por ejemplo, en uno de sus romances, exalta el gentil denuedo de la gallarda:

> *¿Qué quiere doña María*
> *ver allí claro doña Juana*
> *una gallarda española,*
> *que no hay danza más gallarda?*

Más caballeresco, de buen tono y lleno de evocaciones de los libros de caballerías estaba el «rugero», cuya letra cantable parecía calcada de los diálogos de las novelas de caballería con conceptos alambicados entonados por músicos que ilustraban el galán y la dama danzando. Pero entre todas destacó la pavana, que ha sido el ejemplo de las danzas ceremoniales de la corte española de los Austrias.

Contra lo que se ha creído, la grave pavana de la corte no es una danza española. La solemne pavana deriva de padovana (de Padova —nuestra Padua— en Italia), baile cortesano del siglo XVI. Era una danza de ritmo binario, majestuosa y ponderada, el *grand bal* de la corte de Luis XIII. En España la habían estructurado dos vihuelistas españoles —Milán, Mudarra— infundiéndole un aire especial. Así pues, los que han querido ver en la pavana un aire español y hacen derivar la palabra del hecho de que la dama y el caballero que la bailan reproducían la rueda de los pavos, se equivocan. Como danza española fue importada y adoptada en Inglaterra en el siglo XVII como algo esencialmente grave y castellano, es decir, como símbolo de nuestro carácter —del que, sea dicho de paso, ni la zarabanda, ni la chacona, ni ningún baile de la época confirman su seriedad—. A Inglaterra la debió de llevar el músico Antonio de Cabezón, cuando acompañó a Felipe II a sus morigeradas bodas con María Tudor. A finales del siglo pasado, 1886, se quiso resucitar en París la pavana como baile de salón con muy escaso éxito. En cambio, un músico enamorado de lo español como Maurice Ravel, en su *Pavane pour une infante défunte*, dio una nueva vigencia a la lenta costumbre del antiguo baile cortesano del Buen Retiro.

Las fiestas de cañas y toros

Todos los extranjeros que viajaron por España y dejaron testimonio de sus visitas resaltan dos formas de diversión española que eran peculiares de Madrid y que allí tenían sus más pomposas celebraciones. Nos referimos a los juegos de cañas y a la fiesta de los toros. Y todos están de acuerdo en que son de ascendencia morisca. Francisco de Quevedo, que osciló entre la admiración por las gestas de los caballeros en plaza y la repulsa moral, bien lo comprueba:

> *Jinetas y cañas, son contagio moro*
> *restitúyanse justas y torneos*
> *y hagan las paces las capas con el toro.*

Eran fiestas, desde luego, de carácter excepcional. Durante los reinados de Felipe III y IV, por ejemplo, sólo se celebraban dos o tres veces al año en Madrid, amén de las ocasiones de nacimientos, bodas y visitas reales, en que se organizaban estas fiestas excepcionalmente. Los escenarios urbanos de tales fiestas fueron diversos: la Puerta de Segovia, el Campo del Rey, ante el Alcázar de los Austrias, el Campo del Moro, el Prado de San Jerónimo, la plaza del Arrabal, la Huerta del duque de Lerma, la plaza de la Cebada, la plaza de las Descalzas. Pero el ámbito de las fiestas de toros, de las grandes fiestas reales a partir de 1619, fue la plaza Mayor.

La plaza Mayor fue reedificada en los años de 1618 y 1619 y fue inaugurada para el uso de corridas de toros el día de San Juan de 1619, en la que se corrieron quince toros de Zamora. La plaza Mayor, con sus edificaciones monumentales, se convirtió en el conjunto arquitectónico más admirado de Madrid.

Así, León Pinelo, al llegar a 1619, la describe minuciosamente: «La plaza Mayor de esta villa es de las mayores obras que en su género tiene Europa. Su longitud es de 434 pies, su anchura de 334. De lo que se saca ser sus cuatro lienzos de 1 536 pies. Tiene cinco altos y los portales y bóvedas con que se hacen siete viviendas. Hasta el último tejado hay 71 pies de alto y 30 nacimientos y fondos. Salen de las plazas 6 calles descubiertas y 3 encubiertas. Cuatro lienzos tienen 467 ventanas con balcones de hierro en las que viven 3 700 moradores y en fiestas públicas asisten a ver esta plaza 50 000 mil personas. Lo que más admira es que en derribar la plaza antigua y hacer ésta nueva sólo se tardó dos años y se acabó en este en que vamos. Como dice la inscripción que está cerca de la panadería. Por su fábrica se pagaron cerca de un millón de ducados.»

Las fiestas de cañas y bohordos

El juego de cañas era de una gran escenografía parecida a los antiguos torneos, y lo «constituyen lances simulados de la caballería». Así por lo menos las define el *Diccionario de Autoridades*, editado en 1627, cuando todavía estos juegos estaban en la memoria de todos: «Las cañas es un juego o fiesta a caballo, que introdujeron en España, el cual se suele ejecutar por la nobleza en ocasiones de alguna celebridad. Fórmanse diferentes cuadrillas que ordinariamente son ocho y cada una consta de cuatro, seis u ocho caballeros, según la capacidad de la plaza. Los caballeros van montados en filas de jineta y cada cuadrilla del color que le ha tocado por suerte. En el brazo izquierdo llevan los caballeros una adarga con la divisa y mote que elija la cuadrilla y en el derecho una manga costosamente bordada, la cual se llama sarracena. La del brazo izquierdo es ajustada, pero con la adarga no se ve. El juego se ejecuta dividiéndose las ocho cuadrillas, cuatro de una parte y cuatro de otra, y empiezan corriendo parejas encontradas y después, con las espadas en la mano, divididos en la mitad de una parte y en la mitad de otra, forman una escaramuza partida de diferentes lazos y figuras. Fenecida ésta, cada cuadrilla se junta aparte y tomando cañas de la longitud de tres o cuatro varas en la mano derecha, unida y cerrada igualmente toda la cuadrilla, la que empieza el juego corre la distancia de la plaza, tirando las cañas al aire y tomando la vuelta al galope para donde está otra cuadrilla apostada, la carga carrera tendida y tira las cañas a los que van cargados, los cuales se cubren con las adargas para que el golpe de las cañas no les ofenda, y así sucesivamente se van cargando unas cuadrillas a otras haciendo una agradable vista.

»Antes de empezar la fiesta, entran los padrinos en la plaza con muchos lacayos y ricas libreas cada uno por diferente parte, como que allí se han citado para desafiarse los unos a los otros y saliéndose de la plaza vuelven luego a entrar en ellas siguiéndolos cantidad de acémilas ricamente enjaezadas y cargadas de cañas cubiertas con reposteros y dando vuelta a la plaza, como que reconocen el campo, ocupan sus puestos, sacando los pañuelos como señal de que está seguro empieza la fiesta, cuya ejecución se llama correr o jugar cañas. Algunas veces se hace vestidos la mitad de los caballeros a la morisca y la otra mitad a la castellana, y entonces se llama esta fiesta de moros y cristianos.»

Las fiestas de toros

En cuanto a las fiestas de toros eran muy otra cosa, aunque era un toreo muy distinto del de ahora. Estaba centrado en la habilidad de los caballistas, gentes de la nobleza, que alanceaban a los toros o los aterraban con los rejones o los acababan acuchillándolos con la espada. La asistencia de las personas reales a estas fiestas era frecuentísima y venía de muy antiguo. El conde de las Navas, en su célebre libro *La fiesta nacional*, nos ofrece un documentado inventario de las fiestas reales de toros. Quizá la más vieja, comprobada documentalmente, fue la que festejó la coronación de don Alfonso VII en 1135 en Varea, pueblo de la Rioja. Se conoce esta primera mención por un privilegio de donación de dicha villa. Ello no quiere decir que las fiestas reales no fueran todavía más antiguas, sino que ésta es la primera reseñada. Se lee en la crónica de Alfonso el Sabio que en las cortes celebradas por Alfonso II el Casto en el año 815 lidiaban toros, pero la copia es del siglo XII y merece poca confianza, puesto que podría ser una atribución falsa. Las fiestas de toros habían sido importantes desde el siglo XIV y en ellas tomaban parte caballeros alanceadores, armados de venablos. Del siglo XVI existe el testimonio de fray Prudencio de Sandoval, cronista del emperador, según el cual el propio Carlos V alanceó un toro en Valladolid, pisando la plaza con otros muchos caballeros para celebrar el nacimiento de su hijo Felipe II. Fue en 1527 y Goya inmortalizó el suceso siglos después en sus aguafuertes.

Pero el gran momento de los toros a caballo fue precisamente el siglo XVII y sobremanera durante el reinado de Felipe IV. Superada la prohibición por parte del papado, que en 1535 había prohibido al clero asistir a las corridas, al menos los días de fiestas religiosas. En el siglo XVII el rey, los consejeros municipales, la cofradías religiosas y los grandes aristócratas organizaban corridas de toros, y éstas destacaron por derecho propio en el programa de las fiestas religiosas más importantes, así como en las fiestas profanas. Se organizaron corridas incluso para la canonización de santa Teresa de Jesús. Como hemos señalado, en Madrid los grandes festejos se celebraban en la plaza Mayor, puesto que las primeras plazas de obra para el espectáculo de los toros no aparecerán hasta el siglo XVIII.

De cuantas descripciones de la fiesta de toros se han hecho por escritores extranjeros la más curiosa es la de A. Jouvin, que en 1672 publicó una guía de viajes por Europa, que se vendía en Francia, Italia, Malta, España y Portugal. Prácticamente se sabe muy poca cosa de Jouvin como no sea que nació en la población francesa de Rochefort. Pero su obra tiene una importante singularidad: se trata de una de las primeras guías, minuciosa y descriptiva. Y no es seguro que Jouvin, cuya vida nos es por otra parte desconocida, viajara por España ni por los países que describe. En cambio, su información era de primera mano y la descripción de una corrida en la plaza Mayor es quizá la más corta, concisa y fiel: «Entramos en la plaza Mayor, que está un poco a mano derecha de esa calle Mayor. Allí se celebra el mercado todos los días, y las casas que la rodean son todas de una misma arquitectura, de cinco o seis pisos de altas, con balcones todo alrededor, para ver en esa plaza cuando se hacen las corridas de toros, donde tuvimos esa diversión el día de la fiesta del Corpus. Cubren de arena todo el pavimento de esa plaza, enteramente rodeada de bancos a manera de un anfiteatro para los espectadores y más altas están las galerías, donde el rey tiene su sitio en un palacio que llaman el Consistorio, para ver esa lucha. Varios gentileshombres, caballeros bien montados, diestros en manejar sus caballos, aparecen en el medio de esa gran plaza, donde sueltan un toro furioso, al que molestan dándole algunos golpes, el cual (es cosa horrible el oírle) va con la cabeza baja para atacar y derribar con sus cuernos a alguno de esos caballeros, que, viéndolo aproximarse, después de haber evitado esa furia, apartando diestramente su caballo, le arrojan corriendo un dardo, con el que le atraviesan y al sentirse herido aún se pone más furioso, tratando de herir a aquellos que puede alcanzar, de suerte que algunas veces hiere con sus cuernos al caballo de algún caballero y también a él al mismo tiempo, o bien arrebata a uno de esos combatientes con sus cuernos, al que obliga a dar un salto tan grande por encima de su cabeza, que queda muerto en el sitio. También se ve algunas veces a ese toro con miles de heridas, y llevando varios dardos clavados sobre su cuerpo, que le atraviesan por todas partes, que aun así no muere, de no estar herido en el corazón o en alguna parte donde el golpe sea mortal. Lo que me pareció notable al comienzo de esa lucha fue la temeridad de un campeón que se presentó empuñando la lanza, para sostener el primer choque del toro cuando salió furioso de su caverna, que yendo a acometerle, le presentó su lanza entre los dos cuernos, donde se quebró en mil pedazos, y al punto ese diestro temerario se arroja al suelo para darle ocasión de pasar por encima de él sin herirle, y al punto se retiró del campo.»

»Habiendo muerto aquél, lo retiraron para soltar otro, y algunas veces hasta el número de diez o doce, como ocurrió ese día. Esta lucha se hace en varias ciudades de España, y creo que había en ésta más de cincuenta mil personas, entre las cuales había varios príncipes y todos los embajadores extranjeros, cada uno según su rango; porque el de cubierta con un hermoso dosel, donde se veían las armas de Francia, y un gran tapiz sembrado de flores de lis bordadas en oro. Había también a su lado el del Emperador, el de Inglaterra y otros de varios reyes de Europa.»

Los toros en Madrid llegaron a ser una afición perentoria como lo es todavía hoy. (No olvidemos que recientemente se han celebrado por la feria de San Isidro veinticinco corridas.) Días antes de la corrida, ya todos los mentideros de la villa, desde las gradas de San Felipe hasta las losas de palacio, desde la gusanera de la plaza de los Comediantes al paseo del Prado eran una zumbona colmena de comentarios y de noticias sobre los toros y los caballeros que habían de entrar en plaza para alancear, quebrar rejones y acabar brevemente con la espada. Días antes se preparaba la plaza Mayor para la fiesta. Carpinteros y albañiles se afanaban en montar el graderío, desalojándose todos los espacios, donde cotidianamente era el mercado más importante de vituallas de Madrid. Los soportales de Pañeros, que formaban la banda oriental de la plaza, eran muy buscados para ver los toros, pues disfrutaban de sombra en la tarde. En la plaza, los carpinteros armaban sus tablados y los inquilinos de las casas tenían la obligación de ceder balcones y ventanas a los ilustres visitantes a quienes la sala de Alcaldes quisiera honrar. No obstante tenían derecho a disponer a su gusto de los balcones sólo por la mañana. Los toros eran llevados a Madrid entre banqueros armados con espadas de hoja ancha, tocados con variados y multicolores chapeos y guiando al ganado con las garrochas. Existían ya los cabestros, un grupo de mansas vacas y cornalonas y los impacientes aficionados se abrían paso hasta las afueras de Madrid para contemplar desde lejos la ruidosa y mugidora llegada de las reses. También como hoy, muchos aficionados asistían a las operaciones de encerrar a los toros e incluso en algunas ocasiones el rey fue a contemplar la estampa de los animales.

Los mejores poetas, de Lope de Vega a Francisco de Quevedo, comentaron con estro adulador los lances de fiestas reales. Quevedo los describe con feliz acierto:

> *Toma el rejón, parte airoso*
> *y él y el brazo a un tiempo dieron*
> *rotas astillas al aire,*
> *miedo al toro y sangre al suelo;*
> *y vistoso, aunque ofendido,*
> *sacó el animal soberbio,*
> *por penacho de la frente*
> *la tercer parte del fresno.*

Igualmente, Luis de Góngora se recrea en el espectáculo de la plaza y de los trances de la fiesta:

> *La plaza, un jardín fresco; los tablados,*
> *un encañado de diversas flores...*

Quevedo escribió unos comentarios a la corrida que se dio al príncipe de Gales en 1623, por las fiestas de toros, cañas y bohordos. Pero en el caso de Quevedo coexistía con el entusiasmo plástico una fuerte y subterránea corriente antitauromáquica. El más antitaurino de los poetas del siglo XVII es Jerónimo de Bances Candamio, que censura los toros por razones de sensibilidad, cuando Quevedo lo hacía por intenciones de orden social y político. Bances, el último gran comediógrafo barroco del siglo, era un poeta cortesano, delicado, emperejilado y sutil. Pero ni su poesía ni las razones de algunos teólogos antitaurinos pudieron torcer la inclinación del español y sobremanera del madrileño, que esperaba y ansiaba las fiestas de toros en aquella magnífica plaza Mayor.

CAPÍTULO VIII

UN VICIO NACIONAL: EL JUEGO

El juego es una diversión secular nuestra porque ya
Alfonso X el Sabio, antes de que el juego de cartas se
conociera en España, escribió su célebre *Ordenamien-
to de las tafurerías*, por el cual se intentaba encarri-
lar el funcionamiento de aquellos locales arrendados
por cuenta de la corona «o por las villas que tenían
para ello el privilegio real». Tafurería venía de tafur,
que ha dado luego la palabra «tahúr», que, en castellano, significa «hombre que tiene el vicio de jugar y
que tiene la especial habilidad para el juego» y también «jugador fullero y tramposo». Esta expresión,
en principio, no quiso decir esto: los tafures eran
una especie de cuerpo auxiliar de la primera cruza-
da, una muchedumbre andrajosa y hambrienta que
se dedicaba sobre todo al merodeo, pero que atacaba
con temible valor y vivía en forma miserable hasta
tal punto que se decía que, hambrientos, algunos incluso habían devorado cadáveres de sarracenos. Hay
quien opina que la palabra «tahúr» viene del armenio
«thaphur», que quiere decir abandonado, desnudo.
El *Diccionario* de la Real Academia indica que procede de la palabra árabe «jafur», que significa largo de
uñas.

Repetimos que en España se jugó siempre, y cuando más se jugó fue en el momento del barroco, cuando Madrid y Sevilla, las dos grandes capitales, se
habían convertido en un enorme garito. La literatura

y la bibliografía sobre el juego en este siglo son copiosas y dilatadas. Apenas se pueden comprender ciertos pasajes de las obras de nuestros grandes ingenios si no se acude al lenguaje del juego: así, tanto Cervantes como Góngora, tanto Quevedo como Mateo Alemán, tanto Quiñones de Benavente como Castillo Solórzano, tanto Tirso de Molina como el costumbrista Zabaleta traen muy a menudo metáforas, juegos de palabras, en un lenguaje que a un lector de hoy le es incomprensible. Buena prueba de ello es que los comentaristas de todos estos grandes autores, Francisco Rodríguez Marín, Américo Castro, Samuel Gili Gaya, J. M. Blecua, Federico Ruiz Morcuende, Martín de Riquer, etc., han de acudir en sus ediciones críticas a la explicación de estos términos. Trabajo arduo y en la mayoría de casos tan sólo aproximado, pues carecemos de un libro sobre el juego en nuestro Siglo de Oro lo suficientemente claro y explicativo de las clases de juego y de sus lances principales.

Esto no quiere decir que no existieran libros morales que combatían el vicio, como el célebre del padre maestro en sagrada teología fray Pedro de Covarrubias *Remedio de jugadores,* que fue impreso en 1543 y luego repetimos reimpreso, en el que se lee una clasificación general de todos los juegos que se practicaban en España y los divide en espirituales, humanos y diabólicos. También otro fraile franciscano, Francisco de Alcocer, en su *Tratado del juego,* que vio por primera vez la luz pública en 1559, nos ofrece una descripción de todas las infinitas y enrevesadas clases de juegos de nuestros siglos áureos y aporta pormenores de todas las fullerías que en ellos se solían cometer. Asimismo, Luque Fajardo en su libro *Fiel desengaño contra la ociosidad y los juegos,* publicado en 1603, nos ha dado noticia de muchos lances de azar de la época. E incluso han llegado hasta nosotros las *Reglas y leyes que se han de observar en los juegos del rebesino, malilla y cientos* de un anónimo autor publicado en 1640, que nos puede guiar, algo a tientas, en verdad, a través de la selva espesa del juego en la época de Felipe III y Felipe IV.

Casas de conversación, garitos y casas llanas

Se llamaba casa de conversación a los círculos distinguidos, generalmente mantenidos por una persona de calidad, donde se jugaba a veces de forma muy considerable. En las casas de conversación se arruinaron muchos mayorazgos, se cuartearon grandes fortunas, se practicó la usura y hubo lances y desafíos sin cuento.

Luego estaban las casas de juegos autorizadas por real licencia, que solían estar a cargo de soldados inválidos de la guerra o faltos de recursos, aunque bien pertrechados de recomendaciones. A las mesas se las llamaba tablas de juego, y de ahí que a tales casas se las llamara tablajes. En estas casas de juego estaban casi siempre prohibidos los dados, pero en cambio no los juegos de naipes.

Finalmente, como se jugaba en todas partes, también se jugaba en las casas llanas o casas de prostitución. Se las llamaba casas llanas porque no estaban cerradas, sino abiertas a todo el mundo.

Dados, trucos y naipes

El primer juego de azar conocido es el de los dados. Aunque la palabra «dado» se halla en todas las lenguas romances desde el siglo XIII y parece provenir del árabe *dad* o del persa *dada*, el juego de dados es muchísimo más antiguo. En el *Rigveda* se habla no solamente de un juego muy parecido a los dados y también se traza una descripción admirable del jugador y de los funestos efectos del amor desenfrenado por el juego. Posiblemente es la primera página literaria y moralista contra el juego de una altísima calidad. Los griegos tenían como inventor de los dados al mítico Palamedes durante el sitio de Troya. Pero esto es una tradición sin otro valor que el puramente legendario. El caso es que en la *Odisea* ya se juega a los dados, que se llaman *pessoisi*, en la puerta del palacio de Ulises. Durante la Alta Edad Media el juego de dados fue un vicio en toda Europa, y hasta la aparición de los naipes, el primero de los juegos de azar. Existían en París y posiblemente en otras grandes ciudades, academias o escuelas para el juego de dados. Y de tal modo creció la pasión por este juego que san Luis de Francia llegó a prohibirlo. Ya hemos visto que Alfonso X promulgó prohibiciones de tipo parecido.

No es aquí el lugar ni disponemos de espacio y mucho menos de autoridad para hablar del origen de los naipes, que es un tema discutido hasta la saciedad. Hay quien los tiene por orientales, quien cree que son europeos y entre ellos ilustres arabistas como Eigelmann o Dozy, y hay quien sostiene que son relativamente modernos. Sólo a título de información meramente histórica diré que el juego de naipes se mencionó por primera vez en Alemania en 1377, en Italia (Florencia) en 1376 y en Francia en 1392. En cuanto a Cataluña hallamos noticias copiosas desde fines del siglo XIV, la primera en 1371 en el *Diccionari de Rims* de Jaume March, donde aparece la palabra «*naip*», según el curioso artículo de Ramón Miquel i Planes publicado en *Revista Gráfica*, del historiador Català de les Arts del Llibre (1901-1902). La siguiente es de 1380 y luego, desde 1382, menudean las prohibiciones sobre el juego y la fabricación de cartas. Las noticias pintorescas y míticas sobre la invención de las cartas son numerosas desde 1391.

Según Covarrubias en su *Tesoro de la lengua castellana* (1611), el inventor de las barajas fue un tal Nicolás Pepin —sevillano, por más señas—; en las primeras puso sus iniciales N y P, y vino con una pequeña corrupción la palabra «naipe». Y también existía otra tradición literaria castellana según la cual los naipes eran de origen barcelonés y que habían sido inventados por un tal Vilhán o Villán. Otros creen que fue un madrileño que escapó a Sevilla. Incluso Juan de la Cueva cita detalles biográficos en su poesía *Los inventores de las cosas* de este personaje que se identificó con el maligno espíritu del juego:

Vilhan, nacido dentro de Barcelona
De humildes padres y plebeya gente
Según dice el autor que de él escribe,
Fue sólo él que en el mundo dio principio
A la invención de los dañosos naipes
Y por ella acabó debidamente
En poder de unos fieros bandoleros
En un pozo por ellos arrojado...

Toda la literatura del Siglo de Oro hormiguea en metáforas sobre este Villán. «Los dineros que en el juego corrían eran los bienes de Villán.» A las trampas que se hacían en el juego se las llamaba el «floreo de Villán». A la ciencia de los tahúres, «la sabiduría de Villán», y así sucesivamente.

Otro juego donde se apostaba dinero eran los trucos, que eran juegos de destreza y habilidad que, según el *Diccionario de Autoridades*, «se ejecutan en una mesa, dispuesta a este fin con tablillas, troneras, barra, bolillo, en el cual regularmente juegan dos, cada uno con su taco de madera y bolas de marfil de proporcionado tamaño, siendo el fin principal dar con la bola propia la del contrario, hacer barras, bolillos, tablillas, echar trucos altos y bajos respectivamente, en las varias especies de este juego con otros lances y golpes, con que se ganan las rayas hasta acabar el juego, cuyo término puede ser voluntario, aunque regularmente suele ser que cuatro, ocho o doce piedras o rayas. También se juega con tres bolas y se llama carambola». Era, como puede verse, nuestro billar.

El mundo del juego

Coimas, mandrachos, palomares o leoneras se solían llamar las casas de juego a fines del siglo XVI, amén de garitos. Según algunos comentaristas, muchas de ellas eran propiedad de grandes señores —y algo parece insinuar Cervantes en el *Quijote* sobre este particular—, y el garitero era quien representaba sus altos intereses.

La fauna de las casas de juego era bien curiosa: ante todo estaba el «enganchador», que era el encargado de atraer a los incautos al garito. Luego, aquellos a quienes se les llamaba «pedagogos», que ofrecían sus servicios, consejos y malas artes a los jugadores ricos e ingenuos. Éstos se llamaban blancos, en tanto que en contraposición a los negros, que eran los jugadores profesionales y astutos. Luego estaban los «apuntadores», que andaban alerta de las cartas de un jugador y se las señalaban al tahúr por medio de señas o guiños, por lo cual se los llamaba también «guiñones». También éstos formaban parte de la cofradía de los «mirones», y si llevaban la cuenta de las ganancias o pérdidas del jugador se los llamaba «contadores». También estaba el «prestador», que adelantaba fondos al que había perdido. Luque Fajardo escribió: «Coimero sin prestador es rey sin capitanes, galeras sin remos, navíos sin pilotos, bolsa sin dinero.» Luego estaban los «barateros», que eran quienes sacaban tajada del dinero del ganador, ya voluntariamente o ya por la fuerza y amenazas. Otros eran los «capitanes», llamados por mal nombre «estafadores», que cobraban este barato y que actuaban de jueces en las jugadas dudosas. Jueces generalmente injustos, puesto que apoyaban a sus compañeros.

En las últimas escalas de la fauna parasitaria del garito contaban los «maulladores», que levantaban muertos, y llamados así por su semejanza con el gato al atrapar al vuelo en cuanto una distracción le dejase al alcance de sus garras; los «modorros», que debían dar el nombre al estar en un rincón fingiendo dormir hasta que pasada la medianoche y acabadas las partidas principales sacaban los naipes como en broma y lograban ganar algunos maravedís a los jugadores más relapsos. Y el más vil de los parásitos era aquel que, según Quevedo en su *Buscón*, se afana y «despabila velas, o trae orinales, mete naipes y solemniza las cosas del que gana: todo por un triste real de barato». Lo de los orinales era para quienes no querían levantarse de la mesa ni para satisfacer las más imperiosas necesidades.

El floreo de Villán

«Flor» era trampa con las cartas. Para éste y para muchos de los términos que usamos en este escrito léase el pequeño vocabulario al final del mismo. Toda la literatura picaresca y aun el teatro y la poesía satírica vienen llenos de metáforas prácticamente incomprensibles en la actualidad. El lenguaje del juego, como el de la prostitución, era singularmente rico y lleno de imágenes.

Amén de las trampas que solía hacer el garitero, que no eran pocas, los jugadores profesionales, llamados también «ciertos», eran diestrísimos en trampas y apaños, en dar muerte a las bolsas o al gato como se decía en el lenguaje de la época. Dar muerte a las bolsas era vaciarlas y gato valía por bolsa, ya que las bolsas de dinero eran hechas generalmente con piel de gato, sobre todo de gato romano, que era el más vulgar, el gato atigrado de pardo y negro.

Los tramposos, combinados o no con el garitero, solían actuar en cuadrilla. El primero se llamaba el «cierto» y era el más diestro y preparaba las barajas con trampa; el segundo era el «rufián», que corría a cargo de hacerlas desaparecer cuando el juego acababa, para que nadie pudiera advertir los manejos; y el tercero era el «enganchador», que era el que llevaba las gentes al garito y las incitaba a jugar con sus compañeros. Como es natural, fingían no conocerse. Cuando se terciaba algún otro jugador profesional al que llamaban «entruchón», que podía conocerlos o denunciarlos, le incitaban a abandonar el juego dándole un soborno establecido.

Las trampas eran innumerables. Las cartas no eran como ahora, sino de material más burdo y muchas de ellas pintadas a mano, y los tramposos podían doblarlas, arquearlas, rasparlas, marcarlas con las uñas, con lápiz o un punzón de marfil, tenerlas desiguales o escamotear los naipes como los prestidigitadores. Si una baraja estaba preparada, se llamaba de «naipes hechos». Lope de Vega en su obra *Al pasar el arroyo* pone en boca de un personaje:

> *Pues jugar con naipes hechos*
> *no es, amor, de hombres honrados.*

En la novela de Estebanillo González se descubre a lo vivo el preparado de las cartas: «Desempapeló el español sus cartas y no venidas por el correo y sacando de un estuche de unas muy finas y aceradas tijeras empezó a dar cuchilladas; cortando coronas reales, cercenando faldas de sotas por vergonzoso lugar y desjarretando caballos, señalando las cartas por las puntas para quínolas y primera, dándoles el raspadillo para carpeta y echándoles el garrote y la ballesta para las pintas sin otra infinidad de flores.» Cada una de estas tretas vienen muy explicadas en la *Sátira contra las damas de Sevilla* (1578) de Vicente Espinel:

> *Allí viene, flamante, la baraja*
> *Hecha con tal primor al raspadillo*
> *Que a los que quieren a dos manos cuaja*
> *La ballestilla, el lápiz, el humillo*
> *Sin otras flores cien que yo no entiendo*
> *Qué parte dellas les dejó Angulillo.*

Muy importante era la función del rufián, repetimos, para que desaparecieran las barajas amañadas. Pero la máxima ignominia para un fullero era que le ganase en fullerías otro del oficio. Llamábase a esto «dar revesa». Ruiz de Alarcón en su comedia *Quién engaña más a quién* explica una de estas hazañas y comenta:

> *Quedar con la misma flor*
> *es flor de la fullería.*

Algunos juegos de cartas

Mateo Alemán en su *Guzmán de Alfarache* (parte I, libro II, capítulo II) explica la trayectoria de un jugador: «Porque en este tiempo me enseñé a jugar a la taba, al palmo y al hoyuelo. De allí subí a los medianos, supe el quince y la treinta y una, quínolas y primera. Brevemente salí con mis estudios y pasé a mayores volviéndolos boca arriba con topa y hago.» La taba, el palmo y el hoyuelo son juegos de niños. Los juegos medianos eran los que se jugaban en garitos permitidos y los mayores en los clandestinos. Muy difíciles, porque los estudios contemporáneos son difíciles de entender, son los juegos de la época. Los medianos eran el juego del hombre, el rentoi, los cientos, el faraón, el repáralo, siete y llevar, las pintas, la primera, quinces, treinta, la flor, capadillo, el reinado, las quínolas... Eran, como dice Rodríguez Marín, juegos de sangría lenta, convenientísimos, por tanto, para el colmero. Los juegos grandes y prohibidos eran el andabobos, o carteta, el parar, los vueltos y en general todos los juegos de apostar a carta tapada, que se llamaban «juegos de estocada».

Góngora y su casa de conversación

Por la abundancia de estas variedades de juego y por lo que llevamos ya escrito nos podemos dar cuenta de la importancia que tuvo en la vida social española el juego. En 1540 un informe del flamenco Eckloo hacía constar que el juego de naipes era más general en España que en ninguna otra parte de Europa. Dice que en las ventas pobrísimas, donde a veces ni siquiera se daba pan y vino, no faltaba nunca la baraja. Rodríguez Marín, en su monumental comentario al *Rinconete y Cortadillo* de Cervantes (1920), explica que había más de trescientos garitos en Sevilla y sólo en Osuna, que era el pueblo natal de Rodríguez Marín, con tres mil vecinos se gastaban al año quinientas docenas de barajas. Según un *Memorial* elevado al rey, en 1658 vivían en Madrid unos «trescientos setenta y ocho caballeros tahúres perdidos por el juego».

Las casas de conversación también eran a veces causa de escándalo porque se hacían trampas y se jugaba a destajo. Pero en la casa que tenía Góngora en la calle del Niño, hoy calle de Quevedo, perdió el racionero cordobés sus buenos dineros. Joaquín de Entrambasaguas afirma: «Su morada se convirtió en casa de conversación, esto es, en un disimulado garito, aunque él no lo afirme claramente. He aquí la verdad, el juego, "el juego del hombre", que estuvo a pique de que el poeta dejara de serlo en su juventud, por la pasión con que le dominó en Madrid y él nos explicará sin duda muchos de los problemas económicos de don Luis que se plantearon apenas se instaló en la corte.» Digamos de paso que esta casa en que vivía en la calle del Niño —del Santo Niño de la Guarda— la compró Quevedo mientras él era inquilino en ella. Y de ella le desahució su eterno enemigo, el gran poeta, el implacable y siniestro Quevedo. Recordemos los versos durísimos que escribió a razón de este desahucio y también aquel epitafio satírico en el que acusa a Góngora de jugador:

> Vivió en la ley del juego
> y murió en la del naipe, loco y ciego
> y porque su talento conociesen
> en lugar de mandar que se dijesen
> por él misas rezadas
> mandó que le dijesen las trocadas.
> Y si estuviera en penas, imagino
> de su tahúr infame destino
> si se lo preguntaran
> qué deseara más que le sacaran
> cargado de tizones y cadenas,
> del naipe, que de penas.
> Fuese con Satanás, culto y pelado:
> ¡Mirad si Satanás es desdichado!

PEQUEÑO VOCABULARIO DEL JUEGO

Creo que es necesario ofrecer un pequeño vocabulario sobre el lenguaje del juego en el Madrid del siglo XVII. El léxico de las lenguas marginales —juego, prostitución y picaresca— es de una riqueza textual extraordinaria. Y es muy difícil poder leer obras castellanas de los siglos XVI y XVII, desde *La lozana andaluza*, pasando por Mateo Alemán, Cervantes y Quevedo, hasta *La vida de Estebanillo González*, sin el auxilio de una mínima información lexicográfica. Y más cuando algunas de las significaciones, imágenes y metáforas han perseverado hasta el lenguaje de hoy.

adalid. Quien, de acuerdo con un fullero, se coloca detrás de los jugadores mirando las cartas por encima del hombro y se las comunica a su cómplice por señas y gestos. «Cuantas veces andaba un adalid por cima, que me daba el punto de los otros para saber el que tenían.» (Mateo Alemán, *Guzmán de Alfarache*.)

andaboba. El juego de parar. «Ciertas tretas de quínolas y del parar a quien llaman también andaboba.» *(Rinconete y Cortadillo.)* «Que ningún clérigo juegue juegos prohibidos, dados, ni al parar, ni bueltos, ni carteta, ni andaboba.» (*Constituciones Synodiales del obispado de Valladolid*, 1607.)

andabobilla. Variante del mismo juego.

astillazo, dar un. «Meter solapadamente una carta entre las demás para quitar las suertes que derechamente venían a su contrario.»

azar. Carta contraria. Así en Tirso de Molina, *Averigüélo Vargas*:

Ha venido Sancha aquí,
Celosa y podría estorbar
Mi dicha saliendo azar.

barato. Dinero que da voluntariamente el que gana en el juego. También es el que exige por fuerza el baratero o bravucón.

bayuca. Taberna. Véase Quevedo:

... a la bayuca donde hallan
besando los jarros, paz.

blanco.   Voz de germanía que significa ingenuo, incauto, lo que se llama hoy un primo.

brujulear.   Descubrir poco a poco las cartas para conocer por las pintas o rayas de qué palo son.

bueyes.   Cartas en lenguaje de germanía. Así en el antiguo romance de Perotudo:

> *Cien huebras lleva de bueyes*
> *Cada cual es con su flor...*

Huebra era la baraja.

ceja, hacer la.   Trampa en el juego de naipes.

coime.   El garitero que tiene a su cuidado una casa de juego pública. Por extensión se llamaba «Gran coime» o «Coime de las cumbres» a Dios.

encuentros, juntar.   Trampa que consiste en «colocar los naipes de suerte que, al repartirlos, vengan por grupos de dos y al recibir uno se sepa ya cuál es el otro que ha recibido el jugador para saber si interesa seguir pidiendo cartas hasta reunir las que se sabe que van a venir y ganan».

entrevar la flor.   El *Diccionario* de la Academia dice que entrevar es voz de germanía que significa conocer, descubrir, entender. Así pues, quiere decir advertir la trampa o la fullería que se hace con los naipes. Así se lee en Mateo Alemán, *Guzmán de Alfarache* y en varias obras de Cervantes.

estocada, juegos de.   Aquellos en que, según Luque Fajardo, «en su abrir y cerrar de ojos dejan al hombre sin habla, sin dinero y sin aliento». Algunos cita Cervantes en el *Licenciado Vidriera*: el «reparolo», el «siete y llevar», y «pinta en la del punto». Se ignora cómo eran estos juegos.

flor.   Trampas, tretas y fullerías de los naipes. «Floreo de Vilhán, flores de villano, flores tahurescas.» «Entrevar la flor», vale por conocer la malicia.

florero. Igual a fullero, jugador de ventaja.

flux. Término de varios juegos de cartas. Hacer flux era reunir todas las cartas del mismo palo. Metafóricamente, hacer flux era arruinarse. Consumir «su hacienda o la agena sin pagar a nadie» *(Diccionario de Autoridades).*

fusta. Dado falso en el que las muescas de los puntos de cada cara se ahondan y rellenan después con metales o materias de diferentes pesos, de manera que unas caras sean más pesadas que las otras y que, tirándolo en el juego con una cierta malicia, caiga sobre ellas. «Dando barreno a dos docenas de dados, hinchólos uno de oro y los otros de plomo, haciendo fustas para juegos grandes y rateros.» *(Estebanillo González, hombre de buen humor.)*

gallega, mesa. Hacer mesa gallega un jugador, quiere decir ganar todo el resto de los demás. «Llegó una mano de echar todos el resto y, si uno no le hubiera partido a otro, él hiciera mesa gallega.» (Cervantes, *La ilustre fregona.*)

garito. El juego o la casa de juego. Por comparación de la guarida de los tahúres con el escondite del soldado centinela.

garitero. El que tiene por su cuenta juego o casa de juego. Y, por extensión, también encubridor de ladrones.

hombre. Juego de cartas. Rodríguez Marín cree que es nuestro actual tresillo. Dice que es un juego español que llevamos a Italia basándose en la cita de Calderón en *Nadie fíe su secreto:*

> *De España vino con nombre*
> *opinión, noticia y fama*
> *a Parma, esto no te asombre*
> *cierto juego que se llama,*
> *señor, el juego del hombre.*

hueso de muerto. Denominación del dado de jugar. «Después de haber acabado el español de cercenar ma-

res falsos y el italiano de amolar huesos de muertos...»
(Vida de Estebanillo González.)

humillo.   Marcar las cartas con una sombra de hollín.
«Tengo, añadía Rinconete, buena vista para el humillo.»
(Cervantes, *Rinconete y Cortadillo.*)

lamedor.   «Dar lamedor» a su contrario era dejarse ganar adrede al principio del juego para encalabrinarle en la partida.

leonera.   Casa de juego.

leva.   Significa ardid, treta, trampa, flor, fullería y otros cien sinónimos. Así lo alude, por ejemplo, Quevedo en *Cuento de cuentos*: «Dijo Pobrete: Yo soy hombre de pro, y conmigo no hay levas.» «Descornar levas», vale por descubrir la trampa en germanía. Véase *Guzmán de Alfarache* (parte I, libro III, cap. II). «Ninguno descorne levas, ni las divulgue...» También se decía descornar la flor. (Véase flor.)

libro de las cuarenta hojas.   Baraja. También «libro de Papín» o de «Vilhán». (Véanse.)

maese Lucas o masselucas.   Los naipes.

macareno.   Fullero que juega en compañía con otros para despojar a sus víctimas más fácilmente. Según el *Diccionario de Autoridades*, se tomó de quienes practicaban este arte en los garitos de la Puerta Macarena de Sevilla. La palabra pasó al léxico del juego de Madrid.

mandracho.   Casa de juego.

paila.   Derecho que cobraba el garitero por la estancia en la timba.

presa y pinta, juego de.   Era un juego de envite normalmente prohibido pero que se practicaba mucho. Una pragmática del año 1594 había mandado bajo graves penas que no se jugase a ningún juego de parar y, dudándose si en tal pragmática estaba comprendido el juego de presa pinta, la declaró «perjudicial a la república, como los dados y la carpeta, porque hay en él parar y reparar y muchas maldades y juegan veinte y treinta personas, todos a un tiempo, y de una vuelta uno gana o pierde con todos».

primera. «Juego de naipes que se juega dando quatro cartas a cada uno: el siete vale veinte y un puntos, el seis vale diez y ocho, el as diez y seis, el dos doce, el tres trece, el quatro catorce, el cinco quince y la figura diez. La mejor suerte y con que se gana todo es el flux, que son cuatro cartas de un palo, después el cincuenta y cinco, que se compone precisamente de siete, seis y as de un palo, después la quínola o primera, que son cuatro cartas, una de cada palo. Si hai dos que tengan flux, gana el que tiene mayor, y lo mismo sucede con la primera; pero si no hai cosa alguna desto, gana el que tiene más punto en dos o tres cartas de un palo.» *(Diccionario de Autoridades.)*

quince. «Juego de naipes cuyo fin es hacer quince puntos con las cartas, que se reparten una a una; y si no se hacen, gana el que tiene más punto, sin pasar de los quince.» *(Diccionario de Autoridades.)*

quínolas. «Juego de naipes en el que el lance principal consiste en hacer quatro cartas, cada una de su palo, y si la hacen dos, gana el que tiene más punto.» *(Diccionario de Autoridades.)*

raspadillo. Marcar casi imperceptiblemente las cartas.

rentoi o rentoy. «Juego de naipes que se juega de compañeros entre dos, cuatro, seis y a veces entre ocho personas. Se dan tres cartas a cada uno y después se descubre la inmediata, la cual queda por muestra, y según el palo sale, son los triunfos por aquella mano. La malilla es el dos de todos los palos, y ésta es la que gana a todas las demás cartas; sólo cuando es convenio de los que juegan, que ponen por superior a el quatro, a el qual llaman el borrego y a la malilla se queda en segundo lugar, después el rey, caballo, sota, as y así van siguiendo el siete y las demás hasta el tres que es la más inferior. Se juegan bazas como el hombre y se envida como al truque, haciéndose señas los compañeros.» *(Diccionario de Autoridades.)*

retén. Trampa que consistía en quedarse el fullero al dar la baraja para cortar con uno o más naipes ya conocidos poniéndolos luego sobre el que caía encima.

sacar el dinero del reino. Retirar un tahúr ganancioso el dinero que ha ganado de la rueda de tahúres y no volver a jugar más. Lucas Fajardo en *El fiel desengaño del juego* lo explica así: «Son notablemente aborrecidos en estas casas, tanto de los coimeros, cuando de los cosarios, los tahúres que dicen les sacan el dinero del reino, haciendo alusión a los extranjeros que cuando pasan allá nuestra moneda, nunca más vuelven.»

saje doble. Fullero que gana al contrario. También tramposo con la misma trampa que éste había introducido en el juego. «Son llamados sajes dobles porque, usando su misma flor, ganan al fullero que la inició.»

salador. Tahúr que cuando gana en una suerte dice haber apostado más dinero del que jugó.

tablajero. «El señor de la casa que da naipes y dados y lo demás; cosa defendida por las leyes, pero mal castigada.» (Covarrubias.)

tablas del tocino. Expresión peyorativa que aludía a las mesas del garito donde se juega a juegos poco peligrosos: «tres, dos y as», «ganaipierde», «maribulla», «polla», etcétera.

teja, hacer la. Dar convexidad a la mitad inferior de la baraja antes de cortar.

tomar uno una naranja. En la germanía del juego, jugar los tahúres desde la mañana. Se decía porque se tomaban naranjadas en ayunas para cortar la cólera. «Tomar una naranja que es lo mismo que jugar de mañana.» (Lucas Fajardo.)

topo y hago. Topar era aceptar el envite en una partida y hago «quando juegan y tienen poco dinero por delante o corto el resto para la para que han hecho dicen: "Hago para todo", esto es, asseguro el dinero como si estuviera presente». *(Diccionario de Autoridades.)*

treinta.   «Juego de naipes en que se reparten dos o tres cartas entre los que juegan, van pidiendo más hasta hacer treinta puntos contando las figuras por diez y las demás cartas por lo que pintan.» *(Diccionario de Autoridades.)*

triunfo matador.   En algunos juegos el triunfo que no tiene superior a sí y que gana cualquier jugada en el que aparece. Así lo explica Sebastián de Covarrubias en su *Tesoro de la lengua castellana* (1611), añadiendo: «En el juego triunfo matador es el que no tiene resistencia.»

Capítulo IX

LA LEPRA ESPAÑOLA:
PÍCAROS Y VALENTONES

La picaresca del siglo XVII en toda España quizá no
sería un elemento histórico tan trascendental si no
hubiese suscitado una espléndida literatura paralela
a ella. Efectivamente, en 1599, el último año del siglo XVI, aparece la novela picaresca por excelencia
—que no quiere decir que literariamente sea la mejor—, que es la primera parte de la vida del pícaro
Guzmán de Alfarache de Mateo Alemán (1547-1614?).
Así pues, un año después de la muerte de Felipe II se
populariza la palabra «pícaro» precisamente en el
título de una importantísima novela, y se inicia un
género cuyo suceso durará medio siglo y el pícaro se
convierte, como el hidalgo o la dueña, en uno de los
tipos característicos de la sociedad barroca del Siglo
de Oro.

No obstante hemos de señalar que el género no
nace en aquel momento. De la época de Carlos V es
el *Lazarillo de Tormes*. Igualmente, *La lozana andaluza* del clérigo Francisco Delicado son novelas prota-
gonizadas por dos pícaros: un criado en el libro tan
divertido, desvergonzado y alegre y conformado que
es el Lazarillo y una prostituta española en Roma. La
novela picaresca y la palabra «pícaro» se impone con
el Guzmán de Alfarache. No obstante es preciso pun-
tualizar entre las personalidades del pícaro que la
literatura inventa y el mundo picaresco real de la

época. En principio, el pícaro es un amoral, asocial, pero no es un malhechor ni tampoco un mendigo profesional, ni un matasietes a sueldo. Puede serlo por las peripecias de su azarosa existencia y por la tenaz negativa de someterse a las obligaciones de la sociedad. Pero el pícaro literario vive en un mundo con profundos complejos éticos y su vida azarosa es casi siempre itinerante por España y fuera de ella, así sea el pícaro Guzmán de Alfarache o el escudero Marcos de Obregón o el bufón y cocinero Estebanillo González son un reflejo de la época que no dejan de ser también una estandarización del género.

Hemos de decir, por lo tanto, que una cosa es la vida del pícaro real, que casi siempre tiene sus ribetes de individuo fuera de la ley en los mejores novelistas, de Mateo Alemán a Quevedo en el Buscón. Por otra parte, hemos de subrayar que en la literatura el pícaro es pocas veces madrileño. Y ello es más evidente porque cuando Cervantes en su *Quijote* quiere trazar un mapa de la picaresca española señala los Percheles de Málaga, las islas de Riarán, el Compás de Sevilla, el Azoguejo de Segovia, la Olivera de Valencia, la Rondilla de Granada, la playa de Sanlúcar, el Potro de Córdoba y las Ventillas de Toledo. Viviendo como había vivido un tiempo en la corte, Cervantes no incluye Madrid en su mapa de la picaresca auténtica y literaria. Ello, no obstante, no quiere decir que Madrid no tuviera también su reflejo literario, sobre todo en la segunda mitad del siglo XVII, cuando Francisco de Santos publica *Las tarascas de Madrid*, *Los gigantones de Madrid* y otras obras de este tipo. Pero lo curioso y general es que la picaresca fue una novela viajera que parece necesitar continuamente de un cambio de escenarios y de una multiplicación de personajes.

En este capítulo hemos de tratar de los pícaros auténticos que fueron en el transcurso del siglo muchos tipos de maleantes. En otros capítulos estudiamos la picaresca del juego, tan importante, y la de prostitución. Ahora corresponderá estudiar el pícaro malhechor, el valentón. Es decir, el tipo que va desde el mendigo tramposo y ladrón y, si se tercia, en algunas ocasiones asesinos, hasta el que vive puramente de los delitos de sangre.

El mundo del delito

El siglo XVI lega al siglo XVII una población muy afectada por la miseria, cosa que se acrecentará con la expulsión de los moriscos en la primera década del seiscientos. Nos encontramos que la población estaba entonces dividida, porque no existía apenas burguesía, en dos clases: aristocracia y pueblo, que estaban separados por una barrera de privilegios pueriles, prejuicios, razones y exigencias raciales, por extrañas costumbres. Decaídas la industria y la artesanía, arruinada la agricultura y extenuado el pueblo por los considerables gravámenes, vivían los campesinos en condiciones tan desesperadas que no extraña que afluyesen a las ciudades, especialmente a Sevilla, que era tan rica, y a Madrid, que era la capital. Allí sobrevivían como podían y se calcula que, a mitad del siglo XVI, siendo la población de España de cerca de cinco millones de habitantes, había ciento cincuenta mil mendigos declarados y miles y miles de pícaros sin declarar. Así pues, el siglo XVI plantea una de las polémicas más extrañas que se han producido en España, país de raras casuísticas y de sorprendentes paradojas, y es la discusión teológica sobre la pobreza y la caridad. Efectivamente, en 1540 se decretó una ley que prohibía la mendicidad a quien no hubiera sido examinado de pobre, examen pintoresco, con miles de examinandos. También se vedaba ejercer la mendicidad fuera del lugar de naturaleza y sin la previa cédula de pobreza que el cura párroco extendería previa una confesión general. Estas disposiciones, de tan conformado ordenancismo, fueron atacadas por la ciencia teológica de fray Domingo de Soto en su libro *Deliberaciones a la causa de los pobres* (Salamanca, 1545), contra el cual discutió en tono acre, en una prosa espesa como hígado y tono bastante polémico, fray Juan de Robles. Su mamotreto se titulaba: *De la orden que en algunos pueblos de Espa-*

ña se ha impuesto a la limosna para remedio de los verdaderos pobres. En el fondo, Domingo de Soto defendía el derecho a la pobreza y hablaba de la caridad, en tanto que Robles argumentaba sobre el modo de encauzar la miseria y coordinar la beneficencia. La polémica duró algún tiempo y en ella disputaron acerbamente sabios humanistas y teólogos ilustres, monótonos e ilegibles. Esta peregrina controversia hace que la institución del mendigo fuera una cosa absolutamente reconocida por el estado, en tanto que el pícaro, la mayoría del mundo marginal, eran unos estamentos fluidos, indescifrables y desordenados.

El pícaro ejercía mil oficios y no tenía ninguna moral, pero poseía bastante osadía, mucho miedo a la justicia y era, por lo general, católico o creyente, aventurero y poco afortunado. En Madrid, los pícaros preferían el barrio de la puerta de Guadalajara, de la plaza de Herradores, donde se alquilaban cocheros y lacayos, en la plaza del Sol, barrios de los bodegones de San Gil y Santo Domingo y sobre todo el barrio bajo de Lavapiés. Pero, al parecer, ninguno llegó al prestigio de los que citaba Cervantes y que han pasado a la historia de la estampería picaresca con un relieve extraordinario.

José Luis Alonso Hernández, autor del *Lenguaje de los maleantes españoles del siglo XVI y XVII* (1979) —uno de los grandes especialistas del lenguaje de germanía—, nos habla en el extenso prólogo del mundo de la ladronesca, graciosa expresión que me permito usar. Clasifica a los ladrones por la forma de robar, por el instrumento utilizado para el robo, por el lugar donde el robo se realiza y por la especie de lo robado. Examinaremos algunos de ellos, puesto que no podemos ser tan exhaustivos como lo es este brillante erudito. Por la forma de robar está el escalador, el ladrón que robaba introduciéndose en las casas por una escala, o el salteador de tejados. A este último se le llama también altanero si se introduce en la casa por alguna ventana alta. También se le puede llamar grumete, y hasta guzpatarero, derivado de guzpataro, agujero en germanía.

El robo en las casas era frecuentísimo. Jerónimo

de Barrionuevo, en una carta a su deudo y allegado el deán de Zaragoza, fechada en noviembre de 1654, declara solemnemente: «Cada noche hay mil robos y escalamientos de casas: andan los ladrones en cuadrillas de diez en diez y de veinte a veinte. La justicia, de noche, en viendo tres o cuatro de camarada, luego los enjaulan con lo que no caben en las cárceles de pie sin distinción de personas. Que la necesidad no halla otro oficio más a mano.»

Otro sistema de robar era el más elemental: arrebatar algo y salir huyendo. Para ello se necesitaba una buena agilidad de manos y un buen compás de pies. Se los llamaba «hombres de leva y monte», y levar o hacer la leva significaba huir llevándose algo. Con el tiempo, correr significó robar y escapar, y «corredor» designó al ladrón que esto hacía. Entre estos ladrones de sorpresa estaban los capeadores, que tomaban el nombre de su hurto, que era robar capas.

Existían, asimismo, los cicateros, palabra que ha cambiado de significado con el transcurso del tiempo. En el Siglo de Oro, cicatero era un ladrón de bolsas de dinero, hoy ha venido a ser avaro, en el extremo que le disgusta incluso gastar en sí mismo. El cicatero, que es uno de los nombres más comunes de la germanía e incluso del lenguaje popular y corriente del Madrid de los Austrias, era el que cortaba bolsas, porque bolsa en el lenguaje de los ladrones se llamaba cica, y se llamaba no tan sólo a quien cortaba o hurtaba la bolsa, sino a quien robaba de las faltriqueras, ya fuera una caja de tabaco, lienzo o dinero. Pululaban muchos cicateros en las iglesias, corrales de comedias y demás parajes donde abundaba el público y robaban al descuido. Debían ser muy ágiles de mano, como asevera Quevedo: «Pues no medre a quien no tiene los suyos, el valiente con las manos, el músico con los dedos, el gitano y el cicatero con las uñas.» Cicatero se llamaba también «santiguador de bolsillos» por motivos obvios y cigarrero porque también recibía el nombre la bolsa de cigarra o cigarrón, etcétera.

Al ladrón de iglesia, el que limpiaba los cepillos, o

sea las cajas de la limosna, se le llamaba «Juan o devoto del maese Juan». Al ladrón que hurtaba en la tienda o en puestos del mercado se le llamaba bajamanero, ello era no sin un cierto menosprecio, dado las cosas de poco valor que hurtaba. El «desmontador» era el ladrón que desnudaba por fuerza a alguno, que se podía llamar «prendedor» por apoderarse de las prendas de vestir. Así prendar significó robar agarrando o tirando de la ropa.

Ladrones a campo descubierto

En cuanto a las especializaciones rurales, los que hurtaban animales recibían distintos nombres. El más corriente era el de cuatrero, «ladrón que hurta bestias de cuatro patas», porque el que hurtaba animales de gallinero se llamaba «gomarrero», de gomarra, gallina, o gomarrón, pollo. Recibía el nombre de gruñidor si robaba cerdos. Al que robaba ganado en cantidad se le llamaba atajador de ganado, o bien abijeo, del latín *abigere*, llevarse algo. Al especialista en robar caballos se le llamaba «almiforero», de «almifor», caballo, y bobatón, derivado de bobo, al que robaba ovejas y carneros.

El variopinto mundo de la mendicidad

Como ya hemos señalado, durante todo el siglo XVI y el siglo XVII se llegó al ridículo de burocratizar la mendicidad. Los mendigos, pobres de solemnidad, estaban clasificados por una parte, y por otra se confundía la fauna variopinta de las encrucijadas y callejones formadas por mendigos dudosos que podían presentarse como caldereros, pregoneros, mozos de mula —«mozos de la mar ruin, canalla que sustenta la tierra», como los califica Cervantes—, traficantes, buhoneros franceses, inválidos, vendedores, solapados arrieros, titiriteros, ladrones, músicos ambulantes, gentes de la más baja estofa.

Los mendigos en sí, los pordioseros inverosímiles,

infestaban las calles de Madrid pidiendo a gritos y acosando a los transeúntes con sus andrajos y miserias, con sus mutilaciones fingidas muchas veces. Algunos de estos menesterosos eran ciegos y rezaban oraciones a quien se lo pagaba o las dejaban a medio rezar, pues eran tan pintorescas y disparatadas que casi nadie las conocía. Francisco de Santos, en el *No importa de España* (1668), describe la algarabía de los mendigos en las iglesias: «Aquellos mendigos se confundían con los ladrones de toda suerte: los que vaciaban los cepillos, robaban bolsas, metían manos a las faltriqueras, arrebataban pañuelos o robaban joyas.»

Muchos mendigos exhibían horribles mutilaciones, algunas auténticas y otras expertamente fingidas, debidas a un espantoso arte. Simulaban llagas horribles para estimular la caridad pública. Quevedo, indignado, escribía: «El manco pudiendo aprender el oficio de tejedor, el cojo de sastre, compra muleta, estudian la lamentona y plañidera y otras acciones de pordiosero; andando de iglesia en iglesia, de casa en casa, ya moviéndose los ánimos con la lastimosa, ya con la importuna.» Los mendigos estaban organizados en cofradías, como se refleja en casi toda la literatura picaresca, y cada uno tenía su especialidad. Estaba el clamista, que era aquel que pedía limosna por las calles y en las iglesias:

Bribones de la sopa,
clamistas de la siesta
y mil zampalimosnas,

escribía Quevedo. El clamista podía derivar a pedir a la cordobana, que era una treta que usaban los mendigos, sobre todo en invierno, yendo casi desnudos para inspirar más compasión y dando gritos. Covarrubias define «andar a la cordobana» de la siguiente manera: «Andar en cueros es una de las flores que traen algunos bellacos que se hacen pobres, los cuales en medio del invierno se salen desnudos por las calles habiendo forrado primero el estómago con muchos ajos crudos y vino puro.»

Durante el siglo XVII los mendigos constituían casi un diez por ciento de la población de Madrid. En algunos casos la profesión debía ser rediticia. Leemos en una carta de un padre jesuita la noticia siguiente: «Tres o cuatro días ha que prendieron aquí a un hombre, el cual por la mañana antes de amanecer se vestía unos andrajos y se fingía tullido y, enfermo y con grandes lástimas y súplicas, pedía hasta cerca de la una. Luego se recogía en su aposento y se comía y vestía de seda y las maravillas y se peinaba. Es de buen talle y salía con un pico de oro a pasearse. No faltaron algunos vecinos curiosos que desearon saberle la vida. Viendo que no trataba con ninguno de la casa donde vivía, espiáronle al salir por la mañana y tarde por dos veces y conocieron la flor con que vivía y dieron cuenta a un alcalde que le hizo prender y que tuvo suerte que era cuando estaba en limpio. Fueron a su casa y en ella no hallaron más que una razonable cama, un cofre con ropa blanca y otro vestido nuevo de seda, el vestido de andrajos en un rincón, un bufete, un par de sillas y un librillo donde escribía lo que cada día le daban de limosna y cómo lo gastaba, pidiendo algunas veces con algún socorro a sus padres y hermanos. Él confesó de plano todo lo dicho y de que había tomado este modo de vivir por no dar en el bajío de los que se presean y se tratan con lucimiento sin tener renta ni donde salga, trasnochando por las casas descuidadas y recogiendo lo que estaba a mal recado...»

Como vemos, la mendicidad llegó a ser un oficio provechoso, quizá más que los vicios, engaños y violencias de las gentes de la lepra dorada que era el hampa de Madrid.

Los valentones

Madrid, durante el siglo XVII, superó Sevilla en cuanto a la picaresca en rufianes y valentones. Si a principios del siglo XVI la picaresca de Sevilla tenía el patio de los Naranjos, que flanqueaba la catedral, como centro, el Corral de los Olmos, entre la Torre del Oro y el palacio del arzobispo, y el Arenal, tan próximo al Guadalquivir; Madrid, a finales del siglo, podía igualar estos nada envidiables laureles sevillanos y aun superarlos. Añadamos que Sevilla presentaba la cárcel más poblada de España. De mil a mil quinientas personas durante todo el siglo XVII. La picaresca sevillana tenía en sus organizaciones precedentes clarísimos del estilo de la mafia actual. Las cofradías de ladrones y criminales son contadas por un autor poco exagerado como Miguel de Cervantes en *Rinconete y Cortadillo*, donde explica que estas corporaciones tenían sus maestros y sus aprendices, sus reglamentos y sus registros. Pero la innovación de esta picaresca de Sevilla fueron los asesinos a sueldo que aceptaban encargos y también advertencias, sustos, mutilaciones, palizas memorables.

En Madrid se me antoja que los maleantes tuvieron un aire menos lúdico, poco alegre, más siniestro y lúgubre. Todos los historiadores están de acuerdo en que, entre 1620 y 1650, Madrid fue un mundo de raras violencias. Nobles e hidalgos luchaban entre sí constantemente y no tan sólo en duelo claro que se acometían a cuchilladas al doblar cualquier esquina, sino que pagaban sus bandas de esbirros para asesinar a sus rivales. Las muertes a mano de los mercenarios eran numerosas. La más clamorosa fue la de Juan de Tasis, conde de Villamediana, ocurrida en 1622, y se atribuyó a muchas causas, aunque es posible que fueran esbirros del conde-duque de Olivares. Igualmente, a otro gran prócer, don Fernando Pimentel, hijo del conde de Benavente, lo mataron alevosamente aquel año.

Las ejecuciones se siguieron durante todo el siglo. Las emboscadas y las trifulcas nocturnas fueron numerosas. Sir Kenelm Digby, sobrino de John Digby, conde de Bristol, que estaba de embajador extraordinario en 1623, explica en sus *Memorias* y se admira de la modernidad del procedimiento (estas *Memorias* están escritas en tercera persona): «Pues sus enemigos llevaban en sus adargas linternas artificiales, cuya luz se proyectaba sólo hacia delante, pues estaban hechas con una placa de hierro vuelta hacia el dueño, de manera que sus rostros quedaban a oscuras y ellos tenían no sólo la ventaja de poder verle a él cuando él no podía verle a ellos, sino que les dejaba los ojos dolidos y deslumbrados por tantas luces tan próximas.»

La violencia imperaba por todas partes y no sólo eran asesinos a sueldo quienes se mantenían con ella. Por una nadería se encrespaban los ánimos y acababa corriendo la sangre. Veamos los avisos de Jerónimo de Barrionuevo. En una sola carta del 13 de septiembre de 1656 cuenta estos dos lances nocturnos y sangrientos: «A don Alonso de Quiroga, caballero veinticuatro de Jaén, heredero del cardenal, del hábito de Santiago, caballero muy rico, le mató un sastre sobre el ajuste de una cuenta y resto de trece reales no más que le quedó a deber, y yéndoselos a pedir le trató muy mal de palabra diciéndole era un pícaro, cornudo y otras afrentas. Metieron la mano a la espada los dos y a la primera ida y venida le dio el sastre una estocada por la tetilla izquierda con lo que le atravesó el corazón y cayó muerto sin decir ¡Jesús valme!» Y, acto seguido, explica: «Al anochecer rompió el coche por entrada en el paseo del Arcediano de Madrid, por la parte donde estaba el de conde de Per y con la fuerza que hizo le arrancó un estribo. Saltaron los unos y los otros a tierra, metiendo mano a las espadas ellos y sus lacayos... acuchilláronse buen rato.» Así podemos ver que por cualquier fútil motivo, por una nimiedad insignificante se acuchillaba a la gente, a ejemplo de la constante vida de riñas y estocadas de los valentones.

El propio Jerónimo de Barrionuevo escribe en junio de 1656, dando noticia a su deudo el deán de este hecho común: «Por meter paz entre dos casados que el marido aporreaba a su mujer, un cochero del rey dejó los mojicones que le pegaban y, acudiendo a su espada, le dieron una estocada en el corazón, enviándole al cielo, si fue allá, a que fuese sotacochero del sol y comenzase a merecer mayor puesto.» Como sucede tan a menudo en el mundo del barroco y sobre todo en su bajo mundo, Francisco de Quevedo fue quien resumió el género de pícaros, valentones, desuellacaras y matasietes. Su síntesis, escrita con una ferocidad fría y una prosa despellejada en vivo, es digna de ser recogida. Comienza diciendo que «los valientes son la flor más cruel e inicua de todas a mi parecer, puesto que tienen el oficio de ser que comen de ello». Los divide en varias clases, los que son más aparentes y temerarios que se arriman a los señores, bajo cuya capa cometen mil desaguisados e insolencias, insultos y maldades, son pues los valentones esbirros, que después huyen del rigor de la justicia gracias a su dueño, para sus venganzas y codicias. Son estos personajes envalentonados, bravos, rufos o jayanes de popa, que así se los llamaba. Luego están los alevosos y traidores que se ajustan a una paga, espían al infeliz a quien han de sacudir, toman la razón de donde acude y, fundándose con algunas patachimbas, ejecutan la venganza por los que han sido alquilados. Están los valientes nocturnos, los que quitan capas de escalo en casas pero no quieren que se tengan por ladrones, sino solamente por traviesos, son aparentes y corteses y fáciles de espada o rematar con la daga. Luego están los valientes de mentira que son vanagloriosos, explotadores y fanfarrones.

Había muchos valientes de mentira en la corte, y Quevedo se regodea describiéndolos: «Éstos, por la mayor parte, son gente plebeya, tratan de parecer más bravos que lindos, visten a lo rufianesco, medias sobre medias, sombrero de mucha falda y vuelta, faldillas largas, coleta de ante, estoque largo y daga pulida; comen en bodegón de vaca y a menudo, bastimento de cuerpo pero que engorda. Beben a fuer de valientes y dicen quien bien bebe bien riñe. Sus acciones son algo temerario; dejar caer la capa, calar el sombrero, alzar la falda, ponerse embozados y abiertos de piernas y mirar a lo zahíno... Préscianse mucho de rufianes y andan de seis arriba, llaman a consejo a todos, en ofreciéndose en ocasión de pesadumbre a uno, y dan entre diez una cuchillada a un manco. Desean tanto opinarse de bravos, que confiesan lo que no hicieron, aunque sea en perjuicio suyo.» Efectivamente, estos valentones muy a menudo de espada casi doncella, eran amigos de fregonas y gente mantenida, manteadores de damas y valientes sólo en cuadrilla.

El mundo de los valientes, de los asesinos a sueldo, de los especialistas en dar palizas y en deshonrar rostros a cuchilladas, fue tan típico del Madrid del siglo XVII, como lo había sido en Sevilla en el siglo XVI, aquella Sevilla del soneto inolvidable de Cervantes que protagoniza un soldado valentón y que concluye con la más gráfica descripción de aquel tipo humano:

> *Y luego encontinente*
> *caló el chapeo, requirió la espada*
> *miró al soslayo, fuese, y no hubo nada.*

LÉXICO O VOCABULARIO DE LOS TÉRMINOS MÁS HABITUALES DE VALENTONES, MATASIETE Y DESOLLADORES

aliviador de sobaco. Quería decir ladrón de bolsas, cicatero, puesto que aliviar significaba robar. Leemos en un romance anónimo:

> *Jugador de media espada,*
> *de sobaco aliviador.*

archimandrita. Es el jefe de una cofradía de valientes y está tomado en sentido burlesco de la Iglesia bizantina. «Era entonces archimandrita de este grande colegio afanador el bravo», se lee en el interesantísimo libro *Fortuna varia del soldado Píndaro*, de Céspedes y Meneses.

cantar el triunfo de espadas. En lenguaje de germanía alude a ser atacado por alguien y al hecho de pedir socorro.

cañuto. Dar el cañuto es delatar, dar el soplo. Así, Cervantes en el *Coloquio de los perros*: «Concertó cena y noche y su posada, dio el cañuto a su amigo y apenas se había desnudado...» Así pues, «cañutazo» era el soplo, chisme que se da con cautela y secreto, y «cañuto» es el típico delator.

carda. En lenguaje de germanía, la carda es el mundo de los valientes y rufianes. Gente de carda son, pues, estos personajes. Parece que se los llamó así porque muchos procedían del mundo de los cardadores y pelaires, rudos trabajos que acababan abandonándose y dándose a la vida rufianesca. Estebanillo González, en su *Autobiografía*, escribe: «Desmayó toda la gavilla, viendo venir al socorro una escuadra de soldados de la garita de don Francisco. Huyó la gente de la carda y yo en vanguardia de todos.»

cola de paja, tener la. Ser cobarde, estar poseído por el miedo, vivir en continuo sobresalto. Así, Mateo Alemán en *Guzmán de Alfarache*: «A la voz del rey huyeron los rufianes de las señoras casaderas que tenían la cola de paja y sabían de todos los oficios.»

daga. En lenguaje de germanía y en toda la picaresca aparecen muchos sinónimos de daga que daremos sin mayores explicaciones: afilada, crisma, chica, daga de ganchos o ganchosa, guardamanos, daga de guardamano, etcétera.

dejar a uno a buenas noches. Matarle. Se lee en muchos autores. Mateo Alemán en *Guzmán de Alfarache*: «Una estocada que atravesó jubón y pasó de la otra parte por el mismo lado, si me coge de lleno me deja a buenas noches.»

Deo gratias de esparto. Es una burla poco respetuosa de la frase Deo gratias con que los frailes de la cofradía de la Buena Muerte consolaban a los que iban a ser ahorcados. Así lo refiere Quevedo:

> *El deogratias de esparto*
> *fue Pepita de la Horca.*

desabrigar el sobaco: Vale por desenvainar la espada:

> *Ganchoso, hecho un perro*
> *desabrigado el sobaco.*

Así lo decía Francisco de Quevedo. El sobaco era también el maleante que acompañaba a los ladrones llevándoles el producto de los robos para despistar en caso de ser perseguidos y se decía así porque se imaginaba que lo llevaban debajo del sobaco escondido.

desmirlado. Quiere decir ladrón desorejado, puesto que mirlas son orejas en germanía. Era un castigo habitual desorejar a los ladrones reincidentes. Quevedo habla de muchos ladrones desmirlados, entre ellos el «Andresillo el desmirlado» que protagoniza alguna de sus jácaras.

desquijarar ladrones. Fanfarronear y presumir de bravo un valentón por alusión a Sansón bíblico. Es un término burlesco, un tanto desvergonzado.

desuellacaras. Es persona desvergonzada, descarada, un bellaco y rufián. También se llamaba así a los barberos en sentido burlón y a los espadachines especializados en cicatrices en el rostro.

Dios os salve. Expresión que servía para designar la cicatriz en el rostro producida por un tajo. Se lee en *La Celestina*: «¡Lucrecia! Mudado está el diablo. Hermoso era aquel su Dios os salve que atraviesa media cara.»

doncella. Espada del cobarde que nunca sale de la vaina. Usaba mucho esta expresión entremesista Quiñones de Benavente. Una ocasión graciosa es la del entremés *La dueña*. Un personaje apostrofa a un viejo verde y le dice:

> *Desnude la espada, digo,*
> *y el viejo me contesta*
> *fuera en la calle muy feo*
> *desnudar a una doncella.*

También se llamaba a las espadas de los cobardes «ruecas», porque quería decir que la espada del cobarde estaba siempre envainada y colgando del cinto, que es donde las mujeres sujetaban la rueca cuando estaban hilando. Así, Sebastián de Orozco en el *Teatro universal de proverbios* cita esta copla:

Y la espada del cobarde
que se estrena y saca tarde
más se puede llamar rueca.

dúo.   Soplón o delator.

enfermedad de cordel.   Vale por morir ahorcado:

Enfermedad de cordel
el temple al son de la espada
pero Vázquez de Escamilla
murió cercado de guardas.

Así se lee en el *Baile de los valientes y las tomajonas* de Quevedo.

filosa.   En el lenguaje de germanía significa espada y filoso, el cuchillo. A la espada se la llamaba de muchas maneras y me parecería enfadoso relacionarlas todas. Por ejemplo: la brillante, el sacabuche, en el sentido de hendir la barriga o abrir las entrañas, centella, respeto, faldero, vellosa, fisperta, joyosa, etcétera.

gargatear.   En lenguaje de germanía quería decir confesar en el tormento. En cambio, «morir de mal de garganta» quería decir morir ahorcado, según Quevedo:

Maripizca la tamaña
por quien Ahorcaborricos
murió de mal de garganta.

guante descabezado.   Guante o manopla gruesa que servía para proteger la mano de los valientes en sus peleas y al que le faltaba la punta de los dedos, de manera que les permitía llevar las uñas y las yemas desnudas con la natural sensibilidad para robar si era necesario. En un romance anónimo leemos:

Rufeznos de media talla
con guantes descabezados.

Añado que rufezno era rufián de poca categoría. Siempre se empleó en un sentido despreciativo.

hurgón. Significa estocada:

> *Fue respetada en Toledo*
> *Francisco López Labada,*
> *valiente de hurgón y tajos*
> *sin ángulos ni Carranza.*

Este Carranza era el célebre tratadista Jerónimo de Carranza, autor de un famoso tratado titulado *Filosofía de las armas*, publicado en Sanlúcar de Barrameda.

hoja, de la. Perteneciente al mundo de los espadachines. Se decía de la hoja por la hoja de la espada. Así Quevedo:

> *Tu donaire es de la hampa,*
> *tu mirada es de la hoja.*

jinete de gaznates. Clara alusión al verdugo que ahorca a los delincuentes. Se dijo así porque el verdugo, una vez el reo colgado de la cuerda, se montaba a sus hombros y apretando las piernas en torno al cuello conseguía así más peso y aseguraba la muerte inmediata. Así se lee en *El Buscón*: «Aquí ya verás bellaco, deshonra de buenos, jinete de gaznates.» Quevedo, que tenía la fantasía siempre desmesurada, un poco escatológica y un si no es obscena, también le llamaba oler las entrepiernas del verdugo:

> *Mandar al encordelar*
> *los señores la garganta*
> *y, oliendo las entrepiernas*
> *al verdugo, perdió el habla,*

escribió Francisco de Quevedo en su *Baile de los valientes y las tomajonas*. Añado que tomajona en lenguaje de germanía era criado de la justicia. También valía por prestamista de tahúres y, finalmente, tomajonas quería decir en este caso busconas, prostitutas de calle.

matahombres. La expresión está autentificada por el *Diccionario de Autoridades*.

medir o **mover la hoja.** Rivalizar y luchar. Cruzar las espadas dos valentones. Mover la hoja quiere decir además ser muy ducho en el arte de la esgrima, de muy grande habilidad:

> *Movía muy bien la hoja*
> *sin temblor y con destreza.*

per signum crucis. Era la cuchillada en el rostro llamado en latín así por la señal de la cruz y así venía del gesto que se hacía al dar la cuchillada, que en el lenguaje de maleantes se llamaba «signar». Muchos valientes de la época en la cara señalados se caracterizaban por llevar apodos o remoquetes de cruz. Juan Cruzado, Melchor Cruzado, Cruzate, etc. Juan Cruzado fue uno de los famosos espadachines de su tiempo.

puñal. La palabra puñal y sus diferentes variaciones tenían muchos sinónimos. Aguja era el puñal delgado, almarada un puñal sin corte, un puñal muy pulido como lo era también la aguja. Enano era un puñal muy pequeño; moja la olla, un puñal en acepción general, etcétera.

respeto. Valía por espada y también por rufián que protege a una prostituta.

tacaño. En el Siglo de Oro era sobre todo astuto, pícaro, bellaco, engañador con sus ardides y embustes. Tiene el mismo significado que buscón, y ambos adjetivos sirven para titular la novela de Quevedo, que según capricho de los editores se nombró en su primera edición *Historia de la vida del Buscón llamado don Pablos, ejemplo de vagabundos y espejo de tacaños publicada en julio de 1626 en Zaragoza.* Pero que luego, en sucesivas ediciones, los editores titularon *Historia y vida del gran tacaño.* La palabra tacaño parece venir del italiano. El poeta mantuano Merlin Cocayo, que era el seudónimo de Teófilo Folengo, inventor de los versos macarrónicos en su obra *La Macarronea.* Este autor peregrino, poeta y bufón, usa ya la palabra *tacagno* como una palabra toscana grotescamente latinizada por él. Andando el tiempo, a partir de la primera mitad del siglo XVIII, hoy tacaño, quiso decir sórdido, ruin y avaro. Y, finalmente, tacaño y tacañería valen por avaro y avaricia.

Índice onomástico

MEMORIA de la HISTORIA